D1132045

FREUND · CARL STERNHEIM

ISBN 3-7705-1420-3

Satz und Druck: Rischmöller & Meyn, München
Buchbindearbeiten: Endres, München

Gedruckt mit Unterstützung der Deutschen Forschungsgemeinschaft

Umschlag: Hans Baumann und Immy Schell in Noeltes Stuttgarter Inszenierung von „Der Snob" 1964
Foto: Winkler-Betzendahl

WINFRIED FREUND

DIE BÜRGERKOMÖDIEN CARL STERNHEIMS

1976

WILHELM FINK VERLAG

INHALT

FÜR WIELAND

VORWORT

Die deutsche Komödie hat bisher in der Literaturgeschichtsschreibung im Schatten der Tragödie gestanden. So merkt Hans Steffen im Vorwort zur Interpretationssammlung *Das deutsche Lustspiel* noch 1968 kritisch an: „Diese und folgende Publikation sollen helfen, eine spürbare Lücke auf dem Gebiete der neueren Literaturgeschichte zu schließen: K. Holls „Geschichte des deutschen Lustspiels" ist vor fast einem halben Jahrhundert (1923) erschienen, durch Einzelforschungen längst überholt, aber noch nicht ersetzt worden."[1]

Die Überbetonung der Tragödie hat vor allem ihren Grund in der Bevorzugung der klassischen Dramenliteratur, in der bekanntlich die Komödien fehlen. Aufs engste damit verbunden ist die Orientierung an einer Werttheorie mit allgemeingültigem Anspruch. Der Glaube an die Darstellung ewiggültiger menschlicher Werte im Rahmen der Tragödie führte auch über die Grenzen der deutschen Literaturwissenschaft hinaus zu Abgrenzungsversuchen gegenüber der Komödie. Cleanth Brooks, einer der wesentlichen Vertreter des New Criticism, definiert: "This is the realm of sociology, of people's attitudes and opinions, which change from place to place and from time to time... The problems are those of an external world... this is the world of comedy – a world of moral relativism. Here we do not have a world of moral absolutes, of fundamental principles of conduct..."[2] Absolutes und relatives Wertbewußtsein stehen sich demnach in der Tragödie und Komödie gegenüber, und es kann nicht überraschen, wenn man sich in Deutschland auf Grund der reichen idealistischen Tradition zunächst mit ganzer Kraft der Darstellung der Tragödie zuwandte.

Erst als sich die Einsicht durchzusetzen begann, daß Literatur in erster Linie als historische Antwort auf historische Fragen zu verstehen ist, daß die literarischen Texte die Interpretation eines gesellschaftlichen Zustandes in einem bestimmten geschichtlichen Stadium darstellen und daß in das Werk gesellschaftliche, ökonomische und historische Bedingungen miteinfließen, begann man sich in zunehmendem Maße auch der Komödie anzunehmen, die ihren gesellschaftlichen Bezug nie verleugnet hatte. In diesem Sinne setzt in den sechziger Jahren parallel zu der Einsicht in den expliziten und impliziten Situationsbezug von Literatur eine rege Beschäftigung mit der komischen Bühnengattung ein. Walter Hinck schreibt über das deutsche Lustspiel des 17. und 18. Jahrhunderts (1965), im gleichen Jahr untersucht Günter Wicke die Struktur des deutschen Lustspiels der Aufklärung, Horst Steinmetz legt einen Überblick über das deutsche Lustspiel des gleichen Zeitraums vor (1966), Helmut Arntzen wendet sich der Darstellung der ernsten Komödie von Lessing bis Kleist zu (1968) und schließlich versucht Eckehard Catholy eine Gesamtdarstellung des deutschen Lustspiels (1968), von der allerdings bisher nur der bis zum Ende der Barockzeit reichende erste Band vorliegt. Mit der Komödie um 1900 hat sich in neuerer Zeit Peter Haida beschäftigt (1973). Daneben liegen mehrere Untersuchungen zu einzelnen Komödienautoren vor.

Im Zuge der neuen Wertschätzung der historisch-gesellschaftlichen Dimension und damit zusammenhängend auch der Komödie besann man sich wieder auf Sternheim, von dem man nach dem zweiten Weltkrieg bis weit in die fünfziger Jahre hinein aus Gründen wohlweislicher politisch-geschichtlicher Abstinenz kaum Notiz genommen hatte. Einer der besten Kenner der Dichtung um die Jahrhundertwende, der der älteren Forschergeneration angehörende Wolfdietrich Rasch, würdigt Sternheim in seinem Buch über die Literatur des bezeichneten Zeitraums nicht einmal einer namentlichen Erwähnung. Auch Benno v. Wiese unterschlägt in einer knappen Darstellung des Dramas im 20. Jahrhundert im Rahmen einer Vortragsreihe von 1961/62 den wilhelminischen Komödienautor.[3] Daneben ist Sternheim vor allem von Wilhelm Emrich und Hellmuth Karasek als einer der exponiertesten Komödienautoren des gegenwärtigen Jahrhunderts bezeichnet worden.

In der Aufnahme Sternheims durch die Literaturwissenschaft spiegelt sich die Gesamtsituation einer Disziplin, in der sich erst allmählich historische Betrachtungsweisen durchzusetzen beginnen. Ein solcher den geschichtlichen Bedingungen verpflichteter Erkenntnisprozeß wird zusehends auch die Bedeutung der deutschen Komödie zutage fördern, zu der Sternheim einen wesentlichen Beitrag geleistet hat.

Die vorliegende Darstellung ist bestrebt, die Bürgerkomödien Sternheims sowohl unter historischen als auch unter formalstrukturellen Aspekten zu analysieren, um auf diesem Wege mitzuwirken an einer objektiveren Beurteilung der Komödientradition in Deutschland in Gestalt einer ihrer profiliertesten Vertreter und fruchtbarsten Erneuerer im 20. Jahrhundert.

I. EINLEITUNG: BISHERIGE DEUTUNGSANSÄTZE UND ABGRENZUNGSVERSUCHE

Das Interesse an Carl Sternheims Komödien *Aus dem bürgerlichen Heldenleben* wird dokumentiert durch die Vielzahl der Inszenierungen nach 1960, selbst Ausstrahlungen durch das Fernsehen sind hier anzuführen, durch die kritische Edition des Gesamtwerks durch Wilhelm Emrich und nicht zuletzt durch die zahlreichen Versuche literaturkritischer Analyse. Die Renaissance des vom Nationalsozialismus verfemten Autors begann 1960 mit der Inszenierung der *Kassette* in Berlin durch Rudolf Noelte, der damit anknüpfte an die großen Bühnenerfolge Sternheims vor 1933. Drei Jahre später unternahm Emrich die verdienstvolle Aufgabe der Edition des Gesamtwerks, das Ende 1974 mit dem Erscheinen des 10. Bandes abgeschlossen sein wird. Allerdings enthält die Emrichsche Ausgabe nicht die sämtlichen Schriften Sternheims. Die vorliegenden Texte, das wird diese Darstellung zeigen, ermöglichen jedoch eine schlüssige Interpretation zumindest der Bürgerkomödien.

Parallel dazu verlief und verläuft eine kritische Auseinandersetzung, deren extreme Positionen mit den Arbeiten Emrichs und Sebalds angegeben werden können. „Carl Sternheim", so führt Emrich aus, „ist der einzige Dramatiker unserer Epoche, der den unlösbar gewordenen Widerspruch zwischen gesellschaftlichem Zwang und personaler Freiheit radikal, d. h. bis in seine Wurzel durchschaut, gestaltet und bewältigt hat."[1] Sternheims Wort von der „eigenen Nuance" folgend, deutet er die bürgerlichen Helden durchaus positiv. „Es geht darum, zu zeigen, welche Mittel jeweils dem Einzelnen zur Verfügung stehen, um die Macht der normierten Gesellschaft zu brechen und der eigenen Natur zum Durchbruch zu verhelfen."[2] Wolfgang Wendler schließt sich dieser Deutung rückhaltlos an: „Sternheim vertritt einen antiautoritären Individualismus. Es will dem Menschen Mut machen, seine jeweilige unvergleichliche Natur und eigene Nuance durchzusetzen."[3] Sowohl Emrich als auch Wendler fallen einer oberflächlichen Verabsolutierung programmatischer Äußerungen Sternheims zum Opfer, die nur in ihrer Gesamtheit und im Zusammenhang mit dem dichterischen Werk betrachtet, Aufschluß zu geben vermögen. Es fällt nicht schwer, eine ganze Reihe von Sternheim-Zitaten anzuführen, in denen auf die Notwendigkeit personaler Selbstwerdung hingewiesen wird. Eine objektive Betrachtungsweise verlangt es dann aber auch, widersprüchliche Äußerungen ebensogut aufzunehmen und sie in Relation zur eigenen Interpretationshypothese zu setzen. So führt Sternheim einmal über die Bedeutung des Dramatikers aus: „Der dramatische Dichter ist der Arzt am Leibe seiner Zeit. Alle Eigenschaften des idealen Menschen blank und strahlend zu erhalten ist ihm unabweisbar Pflicht ... Er kann den Finger auf die kranke Stelle des Menschtums legen und den erkennenden Helden eine dagegen mit Einsetzung seines Lebens eifernde Kampfstellung einnehmen lassen (Wesen der Tragödie), oder er kann die moribunde Eigenschaft in den Helden selbst senken und ihn mit fanatischer Eigenschaft von ihr besessen sein lassen (Wesen der Komödie).“[4] Aus dieser definitorischen Konfrontation leitet Sternheim die erwartete Rezeptionseinstellung ab: „Der Eindruck auf den Zuschauer ist in beiden Fällen der gleiche: ihn überwältigt zum Schluß die Sehnsucht nach einem schönen Maß, das der Bühnenheld nicht hatte, zu dem er selbst aber durch des Dichters Aufklärung nunmehr leidenschaftlich gewillt ist.“[5] Sternheims antiautoritärer Individualismus ist also keineswegs in den Komödien realisiert, wie Emrich und Wendler glauben machen wollen, sondern intendiert, und zwar in dem Sinne, daß der ideale Mensch bzw. das schöne Maß erst durch das Gegenbild der Komödie im Zuschauer provoziert werden soll. Insofern gibt Sternheim eine durchaus zutreffende Selbstdeutung, wenn er sagt: „Einmaliger unvergleichlicher Natur zu leben, riet jedem Lebendigen ich, damit keine Ziffer, sondern Schwung zu ihrer Unabhängigkeit entschlossener Individuen Gemeinschaft bedeute, ...“[6] Der Irrtum Emrichs und Wendlers liegt also vor allem in der naiven Gleichsetzung einer Reihe scheinbar eindeutiger programmatischer Äußerungen mit deren literarischer Realisierung. Geistesgeschichtlich-theoretische Befangenheit führte zu einer Verkennung der vielfältigen Brechungen weltanschaulicher Positionen im literarischen Kunstwerk.

Eine Variante des bisher referierten Deutungsansatzes bietet Wolfgang Jahn. Auch er beschäftigt sich mit der Heldenproblematik. „Die Helden dieser Stücke sind Klein-Bürger. Ausgeschlossen vom fragwürdigen Fortschritt der modernen Industriegesellschaft bleiben sie ihrer kleinbürgerlichen und kleinstädtischen Umgebung prinzipiell verhaftet, ... Ihr Glück, d. h. die Erfüllung elementarer Lebensansprüche verwirklicht sich allein in dem Maße, in dem sie sich der äußeren Grenzen des ihnen kommensurablen, minderen Gesellschaftsstatus einfügen — wo nicht, verfallen sie der schonungslosen Satire ihres Autors."[7] Neu ist an diesem Ansatz die soziologische Verengung des Heldenbegriffs. Um im Gefolge Emrichs das Bild des positiven Helden beizubehalten, sieht sich Jahn genötigt, Aufsteiger wie Christian Maske als satirische Objekte darzustellen, obwohl dieser mit den gleichen Methoden wie sein Vater Theobald vorgeht, nur in unvergleichlich größerem Rahmen. Bei Christian Maske tritt kein bürgerlicher Sündenfall zutage, wie Jahn meint, sondern vielmehr das der bürgerlichen Welt inhärente Gesetz der Potenzierung des Machtanspruchs durch Kapitalakkumulation.

Von ganz anderen Intentionen ist die Arbeit Winfried Georg Sebalds geleitet. Der Hauptakzent liegt auf einer zeitkritischen Dichterbiographie, während die eigentliche Werkanalyse lediglich ein knappes Viertel einnimmt. Für Sebald ist Sternheim ein „pathologischer Fall", der „die sozialen und psychologischen Präokkupationen und Idiosynkrasien der Epoche"[8] widerspiegle. „Das Primäre in der Genese von Kunst", so meint Sebald. „ist für Sternheim das Irrationale, die Intuition."[9] Den intuitiven Kräften des Dichters, führt Sebald polemisch aus, „verdankt man endlich die Einsicht in das Wesentliche ..., welche — und das ist das Wunderbare — mit der Wirklichkeit selbst identisch sind und sie in jedem Fall bestätigen."[10] Sebald setzt Irrrationalität und Intuition gleich und verkennt dabei, daß der Begriff der Intuition bei Sternheim offenbar auf die zeitgenössische Phänomenologie zurückweist. So sagt Sternheim mit Bezug auf die Zeitgreuel: „... ich überwandt aus Laune und höherem Aspekt nach ... Schelers und Husserls Rezepten soviel lausige Mannigfaltigkeit an ihnen, daß ... Lust und Freude an deutschen Dingen als letzter Gegenstand der Erkenntnis übrigblieb."[11] Das ist das Programm einer literarischen Phänomenologie. Intuition meint danach also nicht eine irrational mystische Schau, sondern „daß das im Wechsel der Phänomene Gleichbleibende nicht durch Ableitung aus anderem erfaßt werden kann, sondern sich lediglich dem rein betrachtenden Bewußtsein, das die Abschattungen vor sich ablaufen läßt, evident zeigt."[12] Der phänomenologische Aspekt steht daher auch an zentraler Stelle der vorliegenden Arbeit. Im gegenwärtigen Zusammenhang soll nur gezeigt werden, daß Sebalds Studie durch die Verkennung des problemgeschichtlichen Hintergrunds in eine peinliche Polemik ausartet. Dieser Umstand ist umso bedauerlicher, als Sebald durchaus dem Begriff des Wesentlichen Bedeutung beimißt. Hier hätte spätestens der erkenntnistheoretische Prozeß der eidetischen Reduktion assoziiert werden müssen, der u. a. bei Rilke[13] und Benn[14], den Sternheim übriges sehr verehrte, eine nicht zu übersehende Rolle spielte. Eine genaue Analyse des literarischen Werks, der sich Sebald allerdings weitgehend entzieht, hätte ihn über seinen Irrtum belehren können. Gisela Schrey folgt Sebalds Deutung bis zur nahezu vollständigen Übereinstimmung im Titel und macht ihm das zumindest zweifelhafte Kompliment: „Am überzeugendsten ist Sebalds Analyse, wenn er sich von seinem Fach, der Germanistik, am weitesten entfernt."[15]

Eine rühmliche Ausnahme in der neueren Sternheim-Forschung bildet die Arbeit Hellmuth Karaseks, die allerdings mehr als populäre Einführung gedacht ist. Karasek – wesentlich mitbeteiligt an der Renaissance Sternheims auf der Bühne – verwehrt sich dagegen, in Sternheims Komödien den positiven Helden verwirklicht zu sehen. Für ihn wirken Sternheims Bürgerkomödien „wie eine Probe auf das Exempel des Hegelschen Satzes: ‚In der bürgerlichen Gesellschaft ist jeder Zweck, alles Andere ist ihm nichts.'"[16] Insofern begreift Karasek Sternheims Komödien folgerichtig als Satiren auf das wilhelminische Zeitalter, die in der Bloßlegung egologischer Strukturen ihre eigentliche Intention haben. Eine ausführlichere Würdigung der Arbeit Karaseks erübrigt sich an dieser Stelle, da sie im Verlauf der vorliegenden Studie noch mehrfach zu Wort kommen wird. Weitere Arbeiten zu Sternheim werden im folgenden in den einzelnen Zusammenhängen berücksichtigt.

Der Überblick über die exponiertesten neueren Forschungsmeinungen erwies sich als notwendig, um den möglichen Neuansatz klarer hervortreten zu lassen. Es soll versucht werden, die phänomenologische Struktur in Sternheims Bürgerkomödien herauszuarbeiten, wobei der Bürger als das eigentliche Phänomen aufgefaßt wird, dessen Eidos oder Wesen in der Darstellung im Rahmen der Komödie evident werden soll. Dabei sollen keine Einzelinterpretationen, sondern Aspektanalysen durchgeführt werden. Insbesondere sind die spezifische Aktualisierung der Gattung Komödie bei Sternheim, der Aufbau der dramatischen Figuren, die Monolog- bzw. Dialogbehandlung, die Funktionalität der dramatischen Handlung sowie der räumlich-zeitlichen Dimension und die Sprachgestaltung unter dem leitenden Aspekt der Reduktion aufs Wesentliche zu untersuchen, und zwar im Sinne einer dialektischen geschichtsbewußten Interpretation. Sternheim soll beim

Wort genommen werden, wenn er von der Kunst fordert: „Sichtbar Vorhandenes soll sie nur am rechten Ende packen, krüde, daß nichts Wesentliches fehlt, und es zu Formen verdichten, die der Epoche Essentielles späteren Geschlechtern festhalten."[17] Sichtbar Vorhandenes, d. h. das Phänomen des Bürgers und die von ihm geschaffene kapitalistische Wirklichkeit, ist in den mannigfachen Abschattungen der Komödie zu untersuchen, und zwar so, daß das sich im Wechsel der Phänomene als invariant Erweisende als das Wesentliche der bürgerlichen Kapitalwelt in der Wilhelminischen Ära evident wird. Auf der Basis der phänomenologischen Struktur der Bürgerkomödien soll dann ausführlich über das Verhältnis der Komödie Sternheims zur Satire gehandelt werden. Es wird dabei zu fragen sein nach der konstituierenden Möglichkeit und Beschaffenheit einer idealen Norm im industriellen Zeitalter und deren literarischer Aktualisierung. Rückblicke auf die Satirenkonzeption des Barock und der Aufklärung werden hier weiteren Aufschluß geben können und den spezifischen Ansatz Sternheims klarer ins Blickfeld rücken. Sternheims Selbstdeutungen, die eine Inanspruchnahme des Komödienwerks durch die Satire ausschließen, werden zu problematisieren sein.

Die vorliegende Untersuchung beschränkt sich unter Ausschluß des neuromantischen Frühwerks und mit einer Ausnahme auch der Fremdbearbeitungen sowie des Spätwerks auf die Komödien *Aus dem bürgerlichen Heldenleben*. Dabei taucht natürlich die Frage nach den Zuweisungskriterien auf. In den Manuskripten werden unter dem Obertitel *Aus dem bürgerlichen Heldenleben* lediglich *Die Hose, Die Kassette* und *Der Snob* zusammengefaßt. Eine Ausweitung auf die Komödien *1913* und *Das Fossil* und damit auf die gesamte Maske-Tetralogie scheint von daher allerdings von vornherein zulässig. Die genannten Stücke verfolgen unverkennbar die Intention der phänomenologischen Analyse bürgerlicher Wirklichkeit. Sternheim selbst nennt es das „Hineinhören in die Phänomene."[18] Unter diesem Aspekt muß auch der *Bürger Schippel* den genannten Komödien hinzugerechnet werden. Das gleiche gilt für die Flaubert-Bearbeitung *„Der Kanditat"*, wo mit Seidenschnur und Dettmichel zwei Figuren aus der *Kassette* wieder auftauchen. Mit gewissen Einschränkungen lassen sich noch die Komödien *„Tabula Rasa"* und *„Der Nebbich"* hinzunehmen. Im erstgenannten Stück geht es jedoch bereits weniger um die Analyse der Bürgerwelt als vielmehr um die Abrechnung mit ihr durch einen ihrer Vertreter, und im *Nebbich* werden lediglich noch einmal zwei Generalthemen des bürgerlichen Heldenlebens aufgegriffen: „... die Sucht des

Spießers nach seinen ruhigen, abgesicherten Bezirken ... und die Metapher als Tarnung des abgesicherten Bezirks."[19]

Mit dem Stück *Der Stänker* ist eine Wende erreicht. In Gestalt des Dorfschullehrers Tack tritt zum erstenmal ein ideal gesinnter Held auf, der das Programm einer edlen Mitmenschlichkeit zu verwirklichen sucht. Dies ist der Beginn des „positiven Sternheims", der die negierende Analyse mit der Utopie vertauscht. Die Stücke, die diese positiv utopische Wende zu gestalten versuchen, konnten allerdings in der Regel nicht an die großen Bühnenerfolge der genannten Stücke anknüpfen. So erlebte *„Das leidende Weib"* lediglich vier Aufführungen, *Der entfesselte Zeitgenosse* wurde sogar nur einmal gespielt, *Manon Lescaut* dreimal, *Oskar Wilde* einmal nebst einer Fernsehreprise, *Die Schule von Uznach* erlebte nach 1929 keine Inszenierung mehr und *John Pierpont Morgan* wurde niemals aufgeführt.[20] Eine Ausnahme bildet lediglich *Die Marquise von Arcis,* ein Stück, das seinen Erfolg wahrscheinlich ableitet von seiner Eigenschaft als perfekt gemachtes Boulevard-Theater. Daneben sprechen die 74 deutschen Erstaufführungen der *Hose* bis Dezember 1960, die 28 Premieren der *Kassette* ebenfalls bis 1960 und rund 1000 Aufführungen des *Bürger Schippel* eine deutliche Sprache. Sternheim fiel in den gewaltsamen Konstruktionsversuchen einer idealen Norm einem künstlerischen Versagen zum Opfer, das er selbst klar erkannt hat: „Ich habe immer bestätigt gefunden, daß wo ich zu komponieren, zu vergewaltigen versuchte, Groteskes in der Art der heute üblichen Kunst herauskam."[21] Die expressionistischen Dramen mit ihrem hochfliegenden Menschheitspathos führen heute ebenso wie Sternheims utopische Stücke von dem Triumph des selbstlosen Gefühls über die materielle Vernunft lediglich ein Schattendasein. Nicht die Utopie hat sich als überdauernd erwiesen, sondern die bittere Analyse bürgerlicher Kapitalpraktiken. In diesem Sinne läßt Sternheim, der damit unbewußt seinen späteren Stücken das Urteil spricht, Sofie, die Vertreterin des Kapitalismus, im Schauspiel *1913* sagen: „Apostel und Predigten schrecken uns nicht."[22]

Insofern scheint es gerechtfertigt, sich auf die Komödien Sternheims zu konzentrieren, die der Intention einer phänomenologischen Analyse folgen, da hier, wie es sich auch in der Breitenwirkung spiegelt, die künstlerischen Absichten Sternheims am klarsten und gekonntesten hervortreten.

II. DIE PHÄNOMENOLOGISCHE STRUKTUR DER KOMÖDIE

„Auf diese Welt, die Welt, in der ich mich finde und die zugleich meine Umwelt ist, beziehen sich denn die Komplexe meiner mannigfach wechselnden Spontaneitäten des Bewußtseins: des forschenden Betrachtens, des Explizierens und Auf — Begriffe — bringens in der Beschreibung, . . ."[1] Der intentionale Erkenntnisprozeß, in dem Bewußtsein immer Bewußtsein von etwas ist, also eine Kongruenz vorliegt zwischen Wahrnehmungsakt und wahrgenommenem Objekt, führt zur Wesensschau der Phänomene, begriffen als das im Bewußtsein Erscheinende. „Die originär gebende Wahrnehmung" wird von Husserl „als Unterlage für phänomenologische Wesensfeststellungen"[2] bezeichnet.

Es ist nun überraschend festzustellen, wie sich diese intuitive Erkenntnishaltung, die unter Abzug aller zufälligen Einzelzüge auf dem Wege reduktionistischer Phänomenologie zum Wesen der Dinge vorstoßen will, in den Selbstäußerungen Sternheims spiegelt. So führt er aus, daß er immer versucht habe, „ohne vorgefaßte Meinung bescheiden unbefangen aber hellsichtiger als die meisten vor den Phänomenen zu bleiben"[3]; an anderer Stelle äußert er: „Einer Situation einem Menschen gegenüber verhalte ich mich betrachtend, ohne eigenen Willen zu ihm; nur mit der Sehnsucht, seine Eigentümlichkeit zu schmekken . . ."[4] Er will die Verhältnisse so denken und umlagern, „daß das für die Sache Wesentliche und Notwendige aus ihnen sichtbar wird."[5] Und schließlich nennt er als das letzte Ziel seiner Kunst, das Bild der Dinge „auf seine phänomenale Ursprünglichkeit zurückzuführen."[6] Nur unter der Bedingung ist für Sternheim „Kunst vor der Philosophie Begriffsbildung", wenn „der wesentliche über die entfliehende Gegenwart ragende Sinn einer Epoche"[7] im Kunstwerk sichtbar wird. Für Sternheim ist „nach Husserls Rezepten"[8] Kunst also in erster Linie Wesensanalyse der im hochsensibilisierten Bewußtsein des Künstlers erscheinenden Umweltphänomene. Daher erklärt sich auch der von Sebald zu Unrecht geschmähte Begriff der Intuition, der nichts anderes meint als die plötzlich auftretende Evidenz der Wesenserkenntnis.

Der Komödiendichter Sternheim steht seiner Umwelt forschend-betrachtend gegenüber, um in der Beschreibung der eigenen Bewußtseinserlebnisse die Eigentümlichkeit der Epoche herauszudestillieren. Der Einfall, die plötzlich sich zeigende Wesenserkenntnis, bildet dabei den Ausgangspunkt für das künstlerische Schaffen. Da die evidente Eigentümlichkeit aber nicht rein darstellbar ist, besteht die Aufgabe des an der Konkretisierung orientierten Dichters darin, sie wiederum in ihre „zeitliche und räumliche Umgebung hineinzuorganisieren, so, daß der künstlerische Mikrokosmos dem Makrokosmos der Schöpfung an ökonomischer Pracht nicht nachsteht."[9]

Die einmal gewonnene Erkenntnis des Wesens verschafft dem Autor von vornherein eine Distanzhaltung zum Dargestellten, dessen künstlerische Organisation von dem Prinzip der Transparenz geleitet sein muß. Erst dann kann das aufnehmende Publikum den Bühnenvorgang durchdringen, der im Unterschied zur komplexen Realität sich als deren modellartige Abbildung darzustellen hat. Die Komödie Sternheims ist also angewiesen auf die komplementäre Wesenserhellung der vorgeführten Phänomene durch die Rezipienten. Damit ist ein hoher intellektueller Anspruch gestellt, der nur dann verwirklicht werden kann, wenn das Publikum bereit ist, sich von seinen Voreingenommenheiten zu lösen. Sternheim hat sich über diese Problematik keinen Täuschungen hingegeben, da er erkannte, wie sehr gerade das wilhelminische Publikum in die eigene Zeit verstrickt war. „Je mehr der Dichter seiner Zeit voraus, je größer das Maß seiner Bewußtseinsinhalte ist, um so mehr Zeit braucht natürlich auch ein Elitepublikum, seine Erkenntnisse einzusehen und kann ihn darum eine Zeitlang mit dem besten Willen nicht kennen."[10]

In der Komödienstruktur mit ihren Prinzipien der Phänomenbeschreibung und der vom Rezipienten zu leistenden Wesenserhellung liegt auch der Grund für den oft beklagten Mangel an alternativen Lösungsmodellen bei Sternheim. Emrich und Wendler haben aus der Not eine Tugend gemacht, indem sie die weltanschaulichen Absichtserklärungen Sternheims mit der künstlerischen Artikulation gleichsetzten.

Konstitutiver Faktor der wilhelminischen Wirklichkeit ist der Bürger mit seiner ökonomischen Betriebsamkeit und seinem machtorientierten Durchsetzungswillen. „Das Bürgertum", schreibt Bruno Seidel, „ist gemeinsam mit der Arbeiterschaft in der Hauptsache Träger einer Entwicklung in Handel und Wirtschaft, der die wilhelminische Gesellschaft zunehmend ihren Wohlstand verdankt."[11] Während der Arbeiter jedoch mehr oder weniger ausführendes Organ in einer industriellen Umwelt blieb, war es der Bürger der Gründerzeit, der als Kommerzienrat, Fabrikant, Bankier oder selbst als Beamter in Verwaltung oder Lehre in wachsendem Maße an Einfluß gewann und das eigentlich motorische Element in der wilheminischen Ära darstellte. So ist es nicht verwunderlich, daß auch für Sternheim der Bürger und die herrschende Wirklichkeit des Kapitals untrennbar verbunden sind. „Der Bürger aber — da war hinter einem Wall verabredeter Ideologien, Gaswolken von Apotheosen, Schützengräben von Metaphern, des Geschäfts, der Tratten und des Verrechnungsschecks garantierte Wirklichkeit."[12] Der Bürger wird für Sternheim zum eigentlichen Phänomen, zu dem beherrschenden Dreh- und Angelpunkt einer der Ziffer verfallenen Zeit. Bürgerliches Bewußtsein zu analysieren, so daß der Wesenskern hinter dem Wall verabredeter Ideologien sichtbar wird, ist die erklärte Aufgabe der Komödien. Aber nicht mehr das distanzschaffende forschend-betrachtende Bewußtsein des Autors wird hier zum Objekt der Analyse, sondern die vielgestaltigen Akte und Zustände des Gemüts und des Wollens: Gefallen und Mißfallen, Sichfreuen und Betrübtsein, Begehren und Fliehen, Hoffen und Fürchten, Sichentschließen und Handeln."[13] An die Stelle der Distanz im Bewußtsein des Autors tritt das von der wilhelminischen Kapitalwelt absorbierte Bewußtsein der Bühnenfiguren. „Der deutsche Kapitalismus", so führt Eda Sagarra aus, „wurde in diesen Jahren zur stärksten Macht im öffentlichen Leben des Landes, und er schickte sich an, die öffentliche Meinung auf allen Ebenen zu beeinflussen."[14]

Die spontane Zuwendung zu seiner Umwelt zeigte dem wilhelminischen Bürger aber nicht nur den fluktuierenden Kapitalmarkt, sondern zunächst eine von der Feudalaristokratie politisch beherrschte Wirklichkeit. „Das Bürgertum ist aber politisch im Vergleich mit England, Frankreich und den Vereinigten Staaten geradezu ohnmächtig,"[15] meint auch Bruno Seidel. Eingeführt in eine weitgehend ständisch gegliederte Gesellschaft, die jedem einen bestimmten sozialen Status zuwies, sah sich der Bürger einem massiven Anpassungsdruck ausgesetzt. Zwar war es ihm nicht verwehrt, sich nach Maßgabe seiner Mittel zu bereichern, aber diese Bereicherung bedeutete nicht von vornherein einen realen Zuwachs an Einflußnahme und Macht im politischen Bereich. Das bürgerliche Bewußtsein ist so gekennzeichnet durch die erleidende Hinnahme der an eine fixierte Gesellschaftshierarchie gebundenen Machtverteilung.

Als die Frau Theobald Maskes in dem Schauspiel *Die Hose* bei einer Parade praktisch vor den Augen des Königs ihre Hose verliert, droht im Bewußtsein Theobalds seinem wohlbehüteten Spießerdasein ein empfindlicher Schlag. „Geschändet im Maul der Nachbarn, des ganzen Viertels. Frau Maske verliert die Hose!"[16] und etwas weiter mit Bezug auf den König: „Ein Zucken seiner Braue, ich sinke in den Staub, aus dem ich mich nicht erheben könnte. Not, Schande, Hunger, das Ende eines Lebens voll Mühsal."[17] Furcht vor dem Verlust der vitalen Existenzbasis führt im Bewußtsein der totalen gesellschaftlichen Abhängigkeit zu einer nur scheinbar übertriebenen Reaktion. Deutlich spiegeln sich die voneinander abgetrennten Machtbereiche. Der kleinbürgerlichen Anpassung um jeden Preis bei zufriedenstellender Lebenssicherung steht der allgewaltige Einfluß des Adels, repräsentiert durch seine absolute Spitze, den König, gegenüber. Der furiose Beginn der Komödie gestaltet eine Grenzsituation, in der die bürgerlichen Bewußtseinsinhalte der erleidenden Anpassung und des Strebens nach ökonomischer Lebenssicherung klar hervortreten. „Auf dem Boden des mir angelernten Bewußtseins kann ich manches ... auf meine Weise genießen."[18] Nur die totale Anpassung garantiert paradoxerweise den Genuß eines abgezäunten Reservats bürgerlicher Aktivität, die sich in erster Linie als ökonomische Betriebsamkeit darstellt. Sein Erfolg mit den Vermietungen einiger Zimmer führt Theobald Maske zu folgender Bilanz: „Achtzehn Taler zusammen, 18 mal 12 ist 180 – ist 216 Taler auf ein Jahr. Die Wohnung kostet 115. Bleiben hundertzehn. Siebenhundert verdiene ich, macht's achthundertundzehn, achthundertundelf Taler, und wir wohnen umsonst. Es geht, geht, wird sich machen lassen."[19] Die abschließende Schlußfolgerung bezieht sich auf den Entschluß, nun seiner Frau „ein Kind zu machen."[20] Bürgerliche Aktivität ist gekennzeichnet durch ökonomisches Kalkül, von dem alle weiteren Entscheidungen abhängig gemacht werden. Aufschiebung der Bedürfnisbefriedigung wird zum Charakteristikum des unaufhörlich planenden und spekulierenden bürgerlichen Bewußtseins. Entfaltung im ökonomisch-finanziellen Bereich tritt als Surrogat an die Stelle der im politischen Bereich versagten Erfolgserlebnisse. Die politische Ohnmacht nach außen wird kompensiert durch eine auf dem finanziellen Kalkül basierenden brutalen Machtentfaltung nach innen. Noch im *Snob* bescheinigt Christian, der Sohn Theobalds, seinem Vater: „Ich habe dich von jeher in Erinnerung, wie du im Haus vierfünftel des Platzes einnahmst, jeder Gedanke um dich kreiste."[21] Machterweiterung durch pekuniäre Bereicherung tritt also schon bei Theobald Maske, dem ersten bürgerlichen Helden Sternheims, als wesentlicher Bewußtseinsinhalt in Erscheinung. Die erleidende Hinnahme der fixierten gesellschaftlichen Struktur mit ihrer Unterdrückung des bürgerlichen Handlungspotentials schlägt um in eine aktive ökonomische Betriebsamkeit mit dem Ziel der Statusverbesserung. „Die Epoche", so meint auch Eda Sagarra, „hat ihren eigenen Stil, der durch Menschen geprägt wurde, die ihren Reichtum zur Schau stellen und gesellschaftlich weiter aufsteigen wollen."[22]

Reduktion auf den wesentlichen Bewußtseinsinhalt des Bürgers, zusammen mit dem Umschlag des Bewußtseinsaktes des Erleidens in den des Tätigseins bildet die eigentliche phänomenologische Innenstruktur der Komödie Sternheims. Der Bürger in Grenzsituationen seiner Existenz hineingetrieben, dekuvriert seine innersten Antriebe, die sich darstellen als Streben nach ökonomischer Machtentfaltung als Antwort auf das Bewußtsein politischer Ohnmacht. Karasek schreibt zutreffend: „In der *Hose* geschieht nach außen gesehen nichts," ...[23] Die Handlungsarmut von Sternheims Komödien erklärt sich erst auf dem Hintergrund der phänomenologischen Struktur. Da es sich um die Wesensanalyse der Akte und der Inhalte bürgerlichen Bewußtseins handelt, bieten sich die Komödien dar als eine Folge von Selbstreflexionen, die sich im Kreis von Kapital und Macht monomanisch bewegen.

Es war zu erwarten, daß sich der seiner Macht in zunehmendem Maße bewußtwerdende Bürger keineswegs auf die Dauer mit den eigenen vier Wänden als Schauplatz seiner Herrschaftsinteressen begnügen würde. So kündigt sich dann auch bereits im *Snob* die Wendung des geschickt kalkulierenden Spießers zum industriellen Plutokraten an. Wie sein Vater Theobald ist auch Christian zunächst ganz auf die passive Hinnahme gesellschaftlicher Normerwartungen ausgerichtet. Seiner Geliebten Sybil bekennt er bezeichnenderweise: „Du hobst mich aus tiefstem Elend, lehrtest mich Kleider anständig tragen, gabst mir, soweit es in deiner Macht stand, Umgangsformen."[24] In dem Augenblick, in dem die von ihm mitgegründeten Goldminen zu prosperieren beginnen, bricht auch bei ihm eine ausschließlich ökonomisch orientierte Aktivität durch, die in das egologische Selbstbekenntnis mündet: „Wie alles in meiner Welt aus mir entstand, wie ich nur auf mich beziehe, für mich hoffe und fürchte, muß ich frei sein von Rücksicht auf jedermann, um zu marschieren."[25] Der Bürger auf dem Vormarsch bildet das eigentliche Thema des vorliegenden Schauspiels. Kennzeichnend ist wiederum die Vorrangigkeit der Reflexion vor der Handlung, der Bewußtseinsaussprache vor der Darstellung praktischer Realisierung. In den verschiedensten Gruppierungen mit den anderen

Figuren schatten sich Christians Machtansprüche ab, die sich aber nun im Unterschied zu den Intentionen seines Vaters auf eine umfassende Einflußnahme auf seine weitere Umwelt konzentrieren. Selbst in der Hochzeitsnacht drängen sich seine eigentlichen Bewußtseinsinhalte in den Vordergrund: „Mit sechsunddreißig Jahren bin ich Generaldirektor unseres größten wirtschaftlichen Konzerns. Kontrolliere einen fünftel Teil des Nationalvermögens.“[26] Der bürgerliche Behauptungswille weitet sich aus zum totalen Machtanspruch. „Ich habe Macht zu dem Erdenkbaren aus der Kraft meines Blutes.“[27] Fußend auf der bürgerlichen Wirtschaftsform des Kapitalismus, die er selbst mit ins Leben gerufen hat, strebt der Bürger nach der völligen Machtübernahme im Staat. Stolz bekennt sich Theobald zu seinem Sohn: „In dir ist alles Maskesche um ein paar Löcher weitergeschnallt.“[28] Spätestens an dieser Stelle wird klar, wie sehr Wolfgang Jahns These von der kleinbürgerlichen Beschränkung daneben trifft. Christian steht für die plutokratische Potenzierung des im Bewußtsein des Kleinbürgers sichtbar gewordenen Machtstrebens. Der politisch unmündige Bürger wird sich des eigenen ökonomischen Machtpotentials bewußt und macht sich auf, die feudale Vorherrschaft im politischen Bereich außer Kurs zu setzen. In Christian dokumentiert sich der imperiale Aspekt bürgerlicher Wirtschaftsgesinnung. „Die seit Jahrzehnten ständig fortschreitende Industrialisierung, der Durchbruch Deutschlands zum modernen mächtigen Industriestaat hatte das überkommene gesellschaftliche Gefüge erheblich ins Wanken gebracht.“[29]

Im *Snob* findet bezeichnenderweise auch die erste Auseinandersetzung mit dem Adel ihren Ausdruck. An dem verarmten Grafen, dem späteren Schwiegervater Christians, zeigt sich exemplarisch der Wertverlust des Grund- und Bodenbesitzes angesichts der größeren Mobilität und Liquidität des Kapitals in den Händen des Bürgers. Die angestrebte Heirat mit der Grafentochter weist deutlich darauf hin, wie sehr der reichgewordene Bourgeois seine neu errungene Machtposition zu feudalisieren beginnt und die bürgerliche Fassade mit adligen Attributen zu dekorieren bestrebt ist. Offenbar hängen im bürgerlichen Bewußtsein der wilhelminischen Ära Macht und Adel so eng zusammen, daß die Dokumentation der Macht nur durch Anpassung an die aristokratische Lebensweise möglich erscheint. Geblieben sind allerdings die Reminiszenzen an die politische Unterdrückung durch den Adel. Nur auf diesem Bewußtseinshintergrund wird der Triumph des Emporkömmlings verständlich: „Ein Ziel ward gekrönt. Zerknirschung des Feindes, Verbeugung vor dem Sieger.“[30] Die Kapitulation des Adels vor dem Kapital zeigt den Bürger auf dem Höhepunkt seiner Macht. Die lange aufgestauten Aggressionen machen sich gewaltsam Luft im Hinblick auf die zu erwartende Hochzeitsnacht mit der Grafentochter: „Da pack ich dich, da schmeiß ich dich ganz, Komteßchen!“[31]

Sternheim ist der Analytiker bürgerlichen Bewußtseins, wie es sich um die Jahrhundertwende in rückhaltloser Offenheit dokumentierte. Er führt den Bürger immer wieder in Situationen vor, in denen er provoziert wird, sich zu seinem Credo kapitalbedingter Machtexpansion zu bekennen. In diesem Zusammenhang wird noch auf die Bedeutung des monologisierenden Sprechens einzugehen sein. Aber auch in der unmittelbaren Konfrontation mit den anderen Figuren schattet sich der Kerninhalt des bourgeoisen Bewußtseins ständig ab und zieht als das eigentlich Invariante wie ein roter Faden durch alle Äußerungen hindurch.

Aber nicht nur die eidetische Reduktion ist strukturbildend, wie bisher gezeigt werden konnte, sondern darüber hinaus auch die Kongruenz von Bewußtseinsakt und Bewußtseinsinhalt, also das, was Husserl im strengen Sinn unter Intentionalität versteht. Die repressive Politik der Feudalaristokratie ist nicht nur ein historisches Faktum, sondern gewinnt ihre Brisanz erst dadurch, daß sie unlösbar mit dem bürgerlichen Bewußtsein verbunden ist und so zum Erlebnis wird. Ebensowenig ist der Kapitalismus eine einfach zu erkennende, sondern die vom Bürger ins Leben gerufene Wirtschaftsform. Erst diese Unlösbarkeit von Bewußtsein und Inhalt macht den Umschlag von der Passivität in die Aktivität verständlich und erklärt den Prozeß, in dem der Bürger zum Mittelpunkt der Welt wird. „Mein Werk ist alles,“ bekennt der inzwischen geadelte Christian auf dem Höhepunkt seiner Macht im Schauspiel *1913*, „ich bin der Schöpfer, der den Abgang nach eigenem Willen hat.“[32] Auch in dem angeführten Schauspiel erscheint der bürgerliche Held in einer provozierenden Grenzsituation. Die eigene Tochter ist bestrebt, ihm das Heft aus der Hand zu winden. „Ich närrischer Mann. Pflege hier den alten Leichnam; dort schlägt mir meine Tochter das Lebenswerk in Stücke.“[33] Der passive Zustand führt in unerbittlicher Konsequenz zur Entmachtung, sein Bewußtwerden wird aber gleichzeitig zum Anstoß für die rückhaltlose Entbindung aller mobilisierbaren Kräfte. Auf diese Weise wird auch hier der Umschlag im Bewußtsein des Hauptthelden zum strukturbildenden Zentrum.

Interessanterweise ist aber nun nicht länger der Adel für die Unterdrückung verantwortlich, im Bürgertum selbst werden repressive Kräfte sichtbar. „Zum Gesetz dieser Welt wird eine in den Konkurrenzkampf umgeschlagene Brutalität, die sich nur auf die Ellbogen des einzelnen stützt.“[34] Von den Fesseln der Feudalherrschaft befreit, sieht sich der Bürger nun ironischerweise Repressionen gegenüber, deren Voraussetzungen er selbst geschaffen hat. Die einmal entbundene, auf Machterweiterung abzielende Aktivität zeigt sich also auch hier als das nicht aufhebbare konstituierende Element bürgerlichen Bewußtseins. „Genug ist nicht genug! Weil, wird's nicht mehr, es weniger wird.“[35] Der Machtwille, aus angstbedingter Notwehr geboren und verantwortlich für den bürgerlichen Aufstieg, erweist sich als ein fortschreitender Mechanismus, dessen Ziellosigkeit jedoch mehr und mehr an den Tag tritt. „Wir gründen wie ihr,“ äußert Sofie ihrem Vater gegenüber, „ohne freilich irgendwie sehen zu können, wohin das alles geht.“[36] Der kapitalistische Prozeß, der die Emanzipation des Bürgers zum Ziel hatte, verselbständigt sich. Die Liquidität und Mobilität des Kapitals, die sich der Immobilität des Grund- und Bodenbesitzes gegenüber als überlegen erwiesen hatten, bedingen nun eine eigengesetzliche Bewegung, der niemand mehr Einhalt gebieten kann. Erneut erlebt das bürgerliche Bewußtsein die Welt als etwas zu Erleidendes. Die Phase der Aktivität, wie sie sich in Theobald und Christian Maske spiegelte, leitet bereits in der dritten Generation zu einer Repassivierungsphase über, die dann im *Fossil*, dem letzten Stück der Maske-Tetralogie, deutlich erkennbar wird:

> Traugott: Was hatte ein preußischer General nach Versailles zu sagen? Sprache hatte er zu verlieren, Schnauze zu halten.
>
> Otto: Auch der deutsche Geschützfabrikant konnte nichts hinzufügen. Unser Schweigen war korrekt, historische Notwendigkeit.[37]

Der erste Weltkrieg hatte sowohl dem Adel in seiner ihm verbliebenen militärischen Funktion als auch der Bourgeoisie eine erhebliche Niederlage bereitet. Aber Sternheim ist weit davon entfernt, den Krieg als die eigentliche Ursache des Machtverfalls anzugeben, vielmehr erscheint ihm der Krieg als Konsequenz aus dem ziellos gewordenen imperialen Machtstreben des Bürgertums, das der Adel, wollte er nicht in Bedeutungslosigkeit versinken, mitgefördert hatte. „Aber der deutsche Imperialismus“, schreibt Sternheim nach dem ersten Weltkrieg, „entwickelte sich zwangsläufig nur hinsichtlich der Frage: Wieviel können wir mit den besten Ausbeutungsmethoden in einem üppigen Frieden, wieviel durch perfekteste Vernichtungsmaschinen in einem siegreichen Krieg an Quadratmeilen Land, neuen zu bewirtschaftenden Milliarden hinzugewinnen? Und mußte sich an diesem rein mechanistischen Stumpfsinn erst heiß und dann leer laufen."[38]

Die Ziellosigkeit bürgerlicher Machtexpansion erscheint letztlich verantwortlich für den Niedergang des Bürgertums und für seine erneute Versetzung in den Zustand der Passivität. Die intentionale Struktur von Sternheims Komödie, der Umschlag des erleidenden in den handelnden Bewußtseinsakt, liegt der Gesamtstruktur der Maske-Tetralogie also in der Gestalt der Inversion zugrunde, nach der dann das letzte Glied in dieser Kette, das Schauspiel vom *Fossil*, ebenfalls gebaut ist. Die umsichgreifende Aktivität eines Theobald Maske erreicht im Sohn ihren höchsten Gipfel und schlägt schließlich in der dritten Generation wieder in Passivität um, aus der sich der Bürger in der Auseinandersetzung mit der Feudalität herausentwickelt hatte. Insofern wird mit dem *Fossil* ein notwendiger Schlußstrich unter die Darstellung des wilhelminischen Bürgertums gezogen. Weiter wollte und konnte Sternheim nicht gehen. Es spricht aber für seine Hellsichtigkeit, daß er die Repräsentanten des Bürgertums keineswegs zu absoluter Untätigkeit verurteilt, sondern sie in Gestalt von Otto und Sofie, die ja auch beide schon im Schauspiel *1913* auftraten, im Keller derer von Beeskow naturwissenschaftliche Experimente durchführen läßt. Der Bürger bereitet im stillen eine neue Machtübernahme vor, da der einmal etablierte imperiale Mechanismus nicht zum Stillstand zu bringen ist und unaufhörlich auf Weiterentwicklung drängt.

Fortführer von Sternheims Intentionen ist der nach dem zweiten Weltkrieg ebenfalls in erster Linie als Komödiendichter hervorgetretene Dürrenmatt, für den der Bürger aus seiner Barbarossa-Existenz bei Sternheim bereits längst wieder herausgetreten war. Auch Dürrenmatts Komödien sind vor allem bewußtseinsanalytische Reflexionsstücke mit dem machtorientierten Bürger als vornehmlichen Gegenstand.

In den meisten Stücken außerhalb der Maske-Tetralogie ist die phänomenologische Struktur ebenfalls streng durchgehalten. Besonders deutlich wird der intentionale Umschlag im Bewußtsein des Oberlehrers Krull aus der *Kassette*. Auf die bürgerliche Situation bezogen, äußert er: „Unsereinem sind cäsarische Instinkte untersagt. Wir müssen uns strecken, anpassen; das ist Weltordnung."[39] In Erwartung einer Erbschaft von 140 000 Mark schlägt die spießerhafte Lebensweisheit in die pseudoreligiöse Hybris eines aktiven Schöpfertums um: "... ich selbst bin Anfang und Ende, dich und sie, tretet ihr mir ein

Tittel zu nah, zerschmettre ich."[40] Die Selbstidentifikation mit dem Schöpfer, die schon bei Christian Maske beobachtet werden konnte, zeigt an, wie sehr der Bürger seine Wirklichkeit als die von ihm selbst erschaffene Welt betrachtet. Erleidende Hinnahme der Unterdrückung bedingt den Ausbruch lang aufgestauter Aggressionen. Der Oberlehrer Krull markiert allerdings einen wesentlichen Unterschied zu den bisher betrachteten bürgerlichen Helden; ein Unterschied, der in einer dem Kapital verfallenen Welt umso gravierendere Konsequenzen haben muß. Während sich die Vertreter der Familie Maske ihren Reichtum und damit allmählich ihre Macht selbst aufbauen, also typische Repräsentanten der Gründerzeit sind, gehört Krull zu den parasitären Naturen, die die Nutznießer eines bereits aufgehäuften Reichtums werden wollen. In Krull spiegelt sich das Schicksal des Bildungsbürgers in der wilhelminischen Zeit. Der dramatische Prozeß in der *Kassette* ist gekennzeichnet durch eine demütigende Anpassung an die Erbtante: „Welches Kapital von Schmeicheleien und Erniedrigungen habe ich an die wracke Fregatte gewandt."[41] Umso verständlicher wird daher der vehemente Ausbruch des Machtwillens, als sich Krull der Erbschaft sicher glaubt. Andauernder als in den Komödien der Maske-Tetralogie ist hier der gesamte Anpassungsprozeß allein deswegen, weil der Hauptakteur über kein bedeutendes Eigenkapital verfügt, denn „Geltung im Leben besaß der Standesherr, Bürger und letzte Proletarier nur aus dem, was als Geld und Geldeswert hinter ihm und seiner Gruppe stand..."[42] So kommt es letztlich in der *Kassette* zu einer aufschlußreichen Strukturvariante: Krull, in dem allein schon die Hoffnung auf die Erbschaft ungeheure Aktivitäten erweckt, obwohl die Tante das Geld längst der Kirche vermacht hat, steigert sich in einen fiktiven Machtrausch hinein. Zwar erfolgt auch hier der Umschlag von der Passivität in die Aktivität, aber der letzteren fehlt das Geld als einzig tragendes Fundament in einer kapitalistischen Gesellschaft. Der Bildungsbürger, der im letzten Drittel der Spitzengruppe innerhalb der wilhelminischen Gesellschaftshierarchie rangierte, wird als lächerlicher Phantast entlarvt, da nur materielle Zuweisungskriterien zählen.

Durch die Beibehaltung der Grundstruktur gelingt es Sternheim, seinen Hauptakteur aus der Reserve zu locken und dessen Bewußtseinsinhalte offen an den Tag zu legen; gleichzeitig zeigt er aber durch die Leere, in die die einmal entfesselte Aktivität stößt, die Absurdität eines sich verselbständigenden kapital- und machtorientierten Strebens. Mit vielen anderen Figuren Sternheims teilt Krull die Manie einer plutokratischen Weltordnung und wie diese spricht er eine solche als seinen eigentlichen Wesenskern aus, sobald er einen Anwendungsbereich für seine zurückgedämmte Aktionsbereitschaft vor sich sieht, aber im grellen Unterschied zu den Maskes ist er zum Scheitern verurteilt, weil das fiktive Erleben des Kapitals und seiner expansiven Möglichkeiten nicht gleichbedeutend ist mit dem einzig machtschaffenden Kapitalbesitz.

Wie das Verlieren der Hose und der damit verbundene Gelderwerb durch Zimmervermietungen in der *Hose,* das Prosperieren der Goldminen im *Snob,* die Bedrohung der Machtposition durch die eigene Tochter in *1913* und schließlich die Aussicht auf eine bedeutende Erbschaft in der *Kassette* die Aktivitätsphasen der bürgerlichen Helden einleiten, so löst im *Bürger Schippel* der Tod des Tenors eines bürgerlichen Gesangsquartetts den unaufhaltsamen Aufstieg des stimmbegabten Proletariers Schippel aus. Die Phase der Passivität stellt sich nicht nur als eine Phase der Anpassung, sondern auch als eine solche des Abwartens dar. Unter äußerlicher Beachtung der normierten gesellschaftlichen Abgrenzungen wartet man auf seine Chance zur Statusverbesserung. Die sozialdarwinistische Tendenz wilhelminischer Wirtschaftsgesinnung tritt in der Ausnutzung der Schwächen der auf der Gesellschaftsskala höher eingestuften Schichten ungeschminkt an den Tag. Auf die Einladung der etablierten Bürger, die, um eine begehrte Trophäe zu erringen, nach dem Tode ihres Tenors auf Schippel angewiesen sind, reagiert der Proletarier bezeichnend: „Kurz, ich lag seit ewig in einem Winkel, dahin die Sonne nicht scheint. Kommt Ihr Brief. Begreifen Sie meine plötzlich veränderte Lage. Mißachtet, übersehen bis dahin, hungrig und durstig nach allem, was man sieht.“[43] Das ist eine exakte Beschreibung des proletarischen Bewußtseins im wilhelminischen Zeitalter. „Als Arbeiter gehörte man nicht zur bürgerlichen Gesellschaftsordnung, sondern mußte sich mit einem deklassierten Leben bescheiden, das vom Makel der Ehrlosigkeit gezeichnet war.“[44]

Eine gewisse Parallele zur Situation des Bürgers dem Adel gegenüber wird sichtbar. In dem Augenblick aber, in dem der Bürger mit dem Kapital die Axt an die Wurzel der überkommenen Gesellschaftsordnung legt, beginnt sein Aufstieg bis in die Spitzen der Gesellschaft. Über ein ähnliches Mittel wie das Kapital verfügt der Arbeiter nicht, aber er gleicht dem Bürger in seinem unbedingten Wunsch, seine Interessen ebenfalls durchzusetzen, und wie einst der Bürger im Vergleich mit dem Adel empfindet er im Vergleich mit dem Bürger das unerhörte Maß persönlicher Unterdrückung. Es ist daher nicht verwunderlich, wenn während der Gründerzeit die soziale Frage an eigentlicher Brisanz gewinnt. Auf diesem zeitgeschichtlichen Hintergrund wird eine Gestalt wie der Proletarier Schippel erst voll nachvollziehbar.

Sternheim stellt Schippel jedoch keineswegs als Revolutionär dar, er ist lediglich „hungrig und durstig nach allem, was man sieht." Also kein Umsturz, sondern der Wunsch nach gieriger Einverleibung alles Bestehenden, nach Assimilation kennzeichnet sein Verhalten. In diesem Punkte ist er ein typischer Nachfolger seiner bürgerlichen Vorläufer in der Maske-Tetralogie und der *Kassette*.

„Mit seinen Ausbeutern war der Arbeiter durch gleiche Ziele am Geschäft, am Staat und seiner Macht interessiert."[45] Nicht Umsturz und Auflösung des Widerspruchs von Ausbeutung und Ausgebeutetwerden, sondern Anpassung an den bürgerlichen Lebensstandard hieß die proletarische Parole. Schippel ist ihr typischer Verfechter. „Ich verschmachte hier unten nach dir, feister Spießbürger. Stößt aus deinem Wanst einen recht selbstsicheren Baß herauf; bin verliebt in dich, in deine ganze Art und Rasse."[46] Die Mimikry Schippels geht bis zur Selbstauflösung, bis zur völligen Identifikation mit bürgerlicher Lebensweise. Seine hervorstechenden Bewußtseinsinhalte, die um Einfluß und Einflußerweiterung kreisen, beides nur im gesellschaftlichen Rahmen des Bürgertums erreichbar, reihen ihn ein in die Gruppe bürgerlicher Helden. Seine Schlußworte zeigen ihn am Ziel seiner Wünsche. „Die Segnungen voll und ganz – zuviel. Du bist Bürger, Paul."[47]

Die Verbürgerlichung wird zum organisierenden Prinzip in der wilhelminischen Gesellschaft. Nicht nur der Adel sah sich genötigt, sich dem kapitalstarken Bourgeois zuzuwenden, sondern auch der vierte Stand konzentrierte seine Aktivitäten auf das Bürgertum. Der Bürger, gestützt auf seine Kapitalmacht, wird in der Tat zum Dreh- und Angelpunkt, zum gesellschaftlichen Leitbild einer ganzen Epoche. In dieser soziologischen Erkenntnis liegt auch der Grund für Sternheim, den Bürger als beherrschendes Phänomen seiner Zeit zu analysieren, seinen Wesenskern weiten Kreisen transparent zu machen. Sternheims Komödien folgen dabei, so konnte gezeigt werden, der eidetischen Methode, der Wesensanalyse, wie sie Husserl im Bereich der Philosophie formulierte, und auf den sich Sternheim auch ausdrücklich bezieht. Aber auch Husserls Standpunkt muß als zeitbedingt angesehen werden: Die Reduktion auf das Wesentliche erwies sich in allen Bereichen des geistigen Lebens als Notwendigkeit, um sich in einer unüberschaubar werdenden Welt sprunghaft anwachsender Industrialisierung zurechtzufinden. Phänomenologie und Expressionismus sind einander zugeordnete Bewegungen, beide versuchen auf dem Wege der Abstraktion von allem Zufälligen die Bedeutung des Geistigen, der Qualität, inmitten einer Welt veräußerlichender Quantifizierung zu behaupten. Die „allgemeine, bodenlose Verachtung des Geistigen", der Hang, alles „von seiner ziffernmäßigen Bedeutung abhängig zu machen"[48], provozieren letztlich das Verlangen nach einer vertieften Analyse der in Erscheinung tretenden Welt. „Wenn der Autor der Epoche Essentielles späteren Geschlechtern sine ira et studio übermitteln will, so ist damit gemeint, daß er die Züge der Epoche auf ihr Wesen reduzieren wollte,"[49] führt Karasek zutreffend aus.

Im Unterschied zu expressionistischen Dramatikern vom Schlage Sorges aber, die das Wesentliche als geistige Utopie darstellten, faßt Sternheim das Wesen als phänomenale Ursprünglichkeit der Erscheinung auf. Die Vergeistigung der Welt erfolgt nicht durch die unverbindliche Utopie, sondern durch die kritisch-reduktionistische Analyse. Nicht die Darstellung einer geistigen Norm, sondern die Provokation durch die Gestaltung ihres Gegenteils, das als identisch mit der Realität erklärt wird, ist hier zentrales Anliegen.

Der weitgespannte Expressionismusbegriff Konstantinovics läßt sich in diesem Sinne auch auf Sternheim anwenden: „Der expressionistische Dichter möchte vor allem zum Wesen der Dinge vorstoßen und an die Wurzel aller Erscheinung gelangen."[50] Konstantinovic entgeht es allerdings noch, daß eine solche der Phänomenologie verwandte Methode auch Erkenntnis im Sinne von Kritik impliziert. Die kritikorientierte Anwendung der eidetischen Methode aber ist Sternheims eigentümliche Intention.

In der Analyse der Bewußtseinsinhalte des Bürgers bei Sternheim ließen sich zwei Bewußtseinsphasen unterscheiden, an deren Schnittstelle, die wirtschaftsgeschichtlich durch das Umsichgreifen des Kapitalismus markiert wird, die Inhalte unverfälscht an den Tag traten. Im Übergang von der durch den Anpassungsdruck bedingten Passivität zur ökonomisch motivierten Aktivität erschien der machtorientierte Wille zur Durchsetzung eigener Interessen als das eigentlich motorische Element bürgerlichen Bewußtseins. Intentionalitätsstruktur und eidetische Struktur bedingen sich also gegenseitig und sind streng aufeinander bezogen. Erst das Übermaß des Erleidens angesichts der politisch-gesellschaftlichen Unterdrückung macht die Besessenheit des Bürgers verständlich, mit der er mit dem ihm in die Hände gespielten kapitalistischen Instrumentarium seinen Machtdrang zu befriedigen sucht. Bereits Franz Blei hat auf die Komödien in ihrer Funktion als Wesenserfassung moderner bürgerlicher Welt hingewiesen: „Durch Sternheim hat diese scheinhafte moderne Welt in der Definition Leibhaftigkeit und Wirklichkeit bekommen ...“[51] In der Tat spiegelt die dialektische Struktur der Komödie Sternheims die Dialektik der Machtverhältnisse von Adel und Bürgertum in der wilhelminischen Ära. Am überzeugendsten konnte dies geschehen durch den dramatischen Typus des bewußtseinsanalytischen Reflexionsstücks. In diesem Sinn ist auch Sternheims Komödiendefinition zu verstehen, nach der der Dramatiker „die moribunde Eigenschaft in den Helden selbst senken und ihn mit fanatischer Eigenschaft von ihr besessen sein lassen“[52] muß. Im Helden selbst also ist nach dem konstitutiven Faktor der Verhältnisse zu suchen, insofern ist in erster Linie Bewußtseinsanalyse vom Komödiendichter zu leisten. Da ein so beschaffener Held von nur einer Eigenschaft geleitet erscheint, also in keiner Weise wandlungsfähig ist, und darüber hinaus als Dokumentation des „Moribunden“, des Negativen schlechthin, figuriert, resultiert daraus die Komödie als einzig adäquater Gattungsrahmen. Nach der geleisteten Strukturanalyse erscheint es daher folgerichtig zu sein, im folgenden die Hauptakteure und die sie flankierenden Figuren einer genaueren Betrachtung zu unterziehen. Die Problematik der typischen Komödienstruktur bei Sternheim wird an zentraler Stelle im Zusammenhang mit der Satirediskussion wieder aufgenommen.

III. DIE MÄCHTIGEN, MINDERMÄCHTIGEN UND DIE MACHTLOSEN

Bereits die zeitgenössische Kritik war sich über die Typenhaftigkeit der Sternheimschen Figuren im klaren. „Diese Figuren sind weniger ein Selbst als Reflexe ihrer typischen Umgebung. Sie tun nichts im eigenen Namen; nur als Vertreter der Bildung, Moral oder Unmoral ihres Standes, ihres Berufs; als Erfüller einer spezifischen Bürgermentalität."[1] Wandlungs- und Entwicklungsfähigkeit sind ihnen eben so fremd wie den Typen der Commedia dell'arte, mit der man die Komödie Sternheims häufiger in Beziehung gesetzt hat. Ein Unterschied bleibt jedoch unübersehbar trotz der verwandten Technik der Stereotypisierung. Nicht zeitlose Aktualisierungen menschlicher Unzulänglichkeiten wollte Sternheim gestalten, sondern zeitgebundene Figurationen eines ökonomisch entfesselten Machtkampfes. Es hieße die Intentionen Sternheims zu verniedlichen, wenn man in den Maskes, Krulls und Schippels nur in die Moderne transponierte Pantalones oder Scaramuccios sehen wollte. Erst die darwinistische Formel vom Überleben des Stärksten auf dem Hintergrund der Gründerzeit gibt den Sternheimschen Figuren ihre unverwechselbare Unmenschlichkeit.

Die gesellschaftlichen Umwälzungen, hervorgerufen durch die einschneidenden Veränderungen der Produktionsbedingungen im industriellen Zeitalter hatten eine unübersehbare Reihe von Positionskämpfen zur Folge, die unter dem ideologischen Vorwand des freien Wettbewerbs schonungslos geführt wurden. Nicht mehr der Aspekt des menschlichen Miteinanders schien erstrebenswert, wenn man sich auch nach außen zu einem solchen bekannte und auf diese Weise gleichsam einen Deckmantel über den habgierigen Kern breitete, im Vordergrund stand vielmehr das unmenschliche Gegeneinander mühsam getarnter Machtinteressen. Der bisher unterdrückte willfährige Bürgersinn schlug um in den aggressiven Willen zur Macht angesichts der expandierenden ökonomischen Möglichkeiten. Die Ökonomisierung und Kapitalisierung der wilhelminischen Ära reduzierte den Bürger auf den Stirnerschen Grundsatz: „Mir geht nichts über mich."[2]

Politische Unterdrückung und gewandelte Produktionsbedingungen sind die historischen Antriebsmomente für die Aktualisierung des egologischen Glaubensbekenntnisses des Bürgers. Solche Entfesselung des Egoismus führte aber nun keineswegs zu einer Individualisierung, sondern zu einer Typisierung des materiell fundierten machtorientierten Verhaltens. „Berlin machte also in Pseudoindividualismus, der die größte menschliche Pleite schon damals war, als man mit ihm noch Riesengeschäfte schob ... Nachdem man doch für allen Kern der Existenz ohne Verantwortung war, konnte man gesamte Kraft ins Geschäft werfen.“[3] Sternheim gab sich keinen Illusionen darüber hin, „daß alle Welt in Deutschland von der obersten Spitze bis zum letzten Arbeiter entschlossen stand, jeden menschlichen und mitmenschlichen Akt von seiner ziffernmäßigen Bedeutung abhängig zu machen.“[4] Die vom Kapital geprägte und besessene wilhelminische Umwelt führte Sternheim zur Typisierung seines Komödienpersonals. Nicht länger erschienen entwicklungsfähige Charaktere darstellbar, unter dem ökonomisch bedingten Anpassungsdruck spiegelte sich in den Sternheimschen Figuren der Wandel des Menschen zu Marionetten einer der Ziffer verfallenen Zeit. Die Typisierung signalisierte die Versklavung des Menschen. Parallel zum Triumph des Egoismus verlief der Verlust des Geistigen, denn nur auf einer geistigen Basis wäre eine individuelle Nuancierung denkbar gewesen. „An Stelle der Universität, die in Berlin bis dahin wenigstens pro forma öffentlichen Lebens Erregerin geblieben war, traten die Deutsche Bank und die A.E.G., ... Statt zu seelischen Andachten ging man zu Wertheim und Tietz.“[5]

Trotz dieser tief greifenden Nivellierung lassen sich die Figuren der Sternheimschen Komödien in voneinander abgehobene Gruppen differenzieren, wobei der Rahmen wilhelminischer Wirtschaftsgesinnung allerdings nie verlassen wird. Folgerichtig nimmt Sternheim eine Kategorienbildung unter dem Aspekt der Machtverteilung vor. Den Mächtigen und Mindermächtigen, die in auf Vernichtung abzielende Positionskämpfe verstrickt sind, stehen die Machtlosen gegenüber, deren weitgehendes eskapistisches Verhalten als Reaktion auf eine brutalisierte Wirklichkeit die bestehenden Herrschaftsverhältnisse stabilisiert. Eine solche Reduktion des Menschen auf den Machtinstinkt bzw. auf die Verschleierung der eigenen Ohnmacht durch Ersatzideologien läßt wiederum die phänomenologische Technik der Wesensschau erkennen. Sowohl die Struktur als auch das Personal der Komödie unterliegen dem Prinzip einer modellartigen Reduktion als Antwort auf die materielle Verflachung des Menschen und seiner Bewußtseinsabläufe. Der typisierte Mensch aber, der sich eindimensional von seiner Nähe bzw. Ferne zur Macht begreift, ließ sich für Sternheim nur intentional darstellen, d. h. durch die Analyse seiner Bewußtseinsrichtung. Neuartig an Sternheims Anwendung der eidetischen Reduktion im Sinne der Phänomenologie ist die konsequent negative Blickrichtung auf die eigene Zeit. Zwar erscheint es, als ob eine neutrale Erkenntnissituation vorläge, in Wirklichkeit aber geht es Sternheim um eine engagierte Negation seiner Zeit, an der er nur solche Züge wahrnimmt, die sich einfügen lassen in sein von vornherein selektives, der Karikatur angenähertes Abbild. Phänomenologie und Zeitkritik gehen eine enge Verbindung ein, indem die wissenschaftstheoretisch fundierte Reduktionsmethode den Eindruck neutraler Wertungsintentionen suggeriert, so daß das karikaturistische Abbild als maßstabgetreues Modell erscheint.

Im Bewußtsein des Handlungsmächtigen spiegelt sich der Wandel von einer Gesellschaft mit fixierten Rollenbildern zu einer solchen des fluktuierenden Rollentausches. „... die bisherige Art des geistigen Aufeinanderwirkens der historischen Gebilde der Nation und der Einzelnen, ihre soziale und ökonomische Verflochtenheit... und das in langer Entwicklung heraufgeführte Verhältnis der verschiedenen Lebenssphären..., sind weithin in Aufruhr und in revolutionärer Umwandlung."[6] Die Dokumentation dieser von Alfred Weber konstatierten Umwandlung macht sich Sternheim mit seinen Bürgerkomödien zur Aufgabe.

Zuerst ist es noch der sich lediglich in den eigenen vier Wänden ausdehnende Spießer, dessen Bewußtsein gebannt ist von den durch die Gründerzeit geschaffenen Möglichkeiten privater Bereicherung. Theobald Maske in der *Hose* wird mit seinen Mietgeschäften zum Mikroabbild seiner geschäftstüchtigen Zeit. Er versteht es, aus dem anfänglichen peinlichen Zwischenfall, in deren Verlauf seine Frau öffentlich ihre Hose verliert, so viel Kapital zu schlagen, wie er für ein ökonomisch gesichertes Leben braucht. Während des ganzen Stücks ist er der unaufhörlich kalkulierende Geschäftsmann, der mit der Ware seiner Wohnung den maximalen Profit zu erzielen sucht mit dem Ziel einer eigenen genußreichen und bequemen Lebensführung. Selbstreflexion sowie idealistische Leitbilder und Lebensinhalte sind ihm fremd. „Unsereiner macht sich weniger Gedanken als Sie vermuten."[7] Shakespeare ist ihm kein Begriff, Goethe kennt er nur beiläufig. Theobald ist der simplifizierende Pragmatiker, für den an die Stelle einer humanistischen, geistig bildenden Lebenshaltung die realistische Praxis des

Gelderwerbs getreten ist. Es kommt nicht darauf an, die Zeit zu reflektieren, denn sie entzieht sich insgesamt doch dem Zugriff des einzelnen, sondern den eng umrissenen Bezirk, in den man sich hineingestellt sieht, zu beherrschen. Im Desinteresse an der Politik spiegelt sich bei Theobald einmal die Ohnmacht des kleinen Mannes, zum anderen stimuliert dieses Bewußtsein aber gleichzeitig die eigene ökonomische Betriebsamkeit. Die den Menschen charakterisierenden Aktivitäten des Planens und Handelns pervertieren sich in ihm angesichts der sozialen Rollenverteilung zu den nur noch pekuniär motivierten Tätigkeiten des Kalkulierens und Kapitalisierens. Qualität schlägt um in Quantität.

Es ist sicherlich kein Zufall, daß Sternheim die konsequent ökonomisch-pragmatische Weltorientierung am Beispiel des Kleinbürgers vorführt. Inmitten einer feudal bestimmten Gesellschaftshierarchie, weitgehend unbeschwert von großbürgerlichen Bildungsgehalten und doch nicht ganz besitzlos wie der ausgebeutete Industriearbeiter, findet gerade im kleinbürgerlichen Bewußtsein die berechnend-pragmatische Einstellung der Zeit einen fruchtbaren Boden. Das nach außen zur Schau getragene subalterne Verhalten wird im eigenen Bezirk durch hemmungslose Machtausübung kompensiert. Die Menschen der näheren Umgebung werden zu Spekulationsobjekten degradiert und in die Abhängigkeit gezwungen.

Angelockt von dem handlungsauslösenden peinlichen Zwischenfall, glauben die beiden Untermieter Scarron und Mandelstam ihre erotischen Interessen bei Frau Maske durchsetzen zu können, doch Theobald versteht es ohne Zögern, sie den eigenen Erwerbsinteressen zu unterwerfen. Seine Frau geschickt als Lockvogel einsetzend, fordert er ihnen Höchstpreise ab für die dürftigen Mietsbehausungen. Dem Nietzscheenthusiasmus Scarrons und der Wagnerschwärmerei Mandelstams setzt er ungerührt seine Kaufmannslogik entgegen, die nicht auf geistige Durchdringung, sondern auf den höchstmöglichen Profit abzielt. Die glühenden Verehrer des Übermenschen und der altdeutschen Helden werden zu Komparsen in einem nur noch vom ökonomischen Pragmatismus beherrschten Schauspiel. Dabei entbehrt es nicht ganz der Komik, daß weder Scarron noch Mandelstam den handgreiflichen erotischen Vorstellungen Frau Maskes nachzukommen imstande sind. Dieser Umstand weist deutlich darauf hin, daß Sternheim keineswegs einer resignativen Bildungswehmut das Wort zu reden gedenkt, vielmehr erscheinen in den beiden Untermietern Repräsentanten aus der zahlreichen Gruppe der Machtlosen, die in Unkenntnis der gewandelten Produktionsbedingungen einem weltflüchtigen Idealismus nachhängen. Sie werden zu lächerlichen Figuren, zu modernen Abbildern von Don Quichotte und Sancho Pansa in all ihrer monströsen Weltfremdheit. Macht durch Geld: nur dem, in dessen Bewußtsein sich diese Formel eingraviert hat, gehört die Herrschaft in einer dem Kapital verfallenen Zeit. Die anderen, die weiterhin auf idealistische Konstruktionen bauen, sind Mitläufer und Spekulationsobjekte in den Profitstrategien der Mächtigen.

Es spricht für die Illusionslosigkeit Sternheims, daß er weder in eine heldische Schönfärberei seiner kleinbürgerlichen Emporkömmlinge verfiel, wie Emrich und Wendler, befangen in herkömmlichen literarischen Orientierungsschemata, es gerne sehen möchten, noch die Utopisten als erfolgversprechende Revolutionäre darstellte. Beide Gruppen, die Mächtigen und die Machtlosen sind dokumentarisch gestaltete Repräsentanten einer inhumanen, antiemanzipatorischen Zeit. Ausbeuter und Ausgebeutete stehen sich in ihnen schroff gegenüber, und es erscheint von aktueller Relevanz, daß utopische Unverbindlichkeit dem ökonomischen Kalkül einer kapitalbeherrschten Umwelt zum Opfer fällt.

Das kleinbürgerliche Milieu mit seiner Ungeistigkeit, seiner verflachten materiellen Lebenshaltung und seinem Machthunger erweist sich bereits im zweiten Stück der Maske-Tetralogie als der eigentliche Nährboden für den den Staat kontrollierenden Großkapitalisten. „Steigert man ... die kommerzielle Potenz bis ins Großkapitalistische eines Krupp, Stinnes, Thyssen, ergibt sich die Person Christian Maskes.“[8] Für ihn sind alle Mitglieder der Gesellschaft zu kalkulierbaren Größen geworden in einer umfassenden Machtstrategie, deren motorisches Element das Kapital ist. Die Geliebte und die Eltern, potentielle Störfaktoren in dem rational durchkonstruierten Aufstiegsplan, werden durch exakt bemessene finanzielle Abfindungen aus dem Weg geräumt. Dabei bestätigt sich erneut die allgewaltige Verführungskraft des Geldes, denn alle Beteiligten schnappen nach einem allenfalls dekorativen Zögern nach dem hingeworfenen Köder. Damit sind die Weichen gestellt für einen Aufstieg, der das Ökonomische als Absprungbasis benutzend, zu Dimensionen politischer Einflußnahme hinaufführt. Die Verflechtung von Wirtschaft und Politik wird zum Fundament einer vom Bürger ausgehenden Machtpolitik, wie sie sich realgeschichtlich z. B. im Verhältnis Wilhelms des II. zu Krupp gespiegelt hat. So wird der Bürger allmählich zum Totengräber feudaler Herrschaftsstrukturen.

Christian Maske als Snob und als allgewaltiger Industriemagnat in *1913* gehört unter den Komödienfigurationen zu den überzeugendsten Repräsentanten der Handlungsmächtigen. Im *Snob* verblassen die anderen Figuren neben ihm zu Statisten. Dies gilt im besonderen Maße für den Adel, der in seiner fortschreitenden Verarmung dem Bürger lediglich als profitsteigernde Dekoration dienen konnte, indem auf dem Wege der Heirat die materielle Nüchternheit des Bürgertums durch die romantischen Attribute des Adels übertüncht wurde.

So heißt es einmal deutlich in der Komödie *Der Kandidat:* „Man lebt hochadelig und elend auf den heruntergekommenen Gütern seiner Vorfahren. Sie sind mit Grundschulden überlastet, die Erde ausgesogen. Da bleibt der Sohn und seine reiche Heirat die Rettung."[9] Die wirtschaftliche Situation ist es also, die den Adligen in die Entmachtung hineintreibt. „Man beugt sich nicht mehr vor dem Adel,"[10] entgegnet der Kandidat Russek dem Grafen, und sein Mut stützt sich dabei auf das Bewußtsein, daß Profit und Defizit zu Synonyma geworden sind für Macht und Ohnmacht.

Schon aus den angeführten Beispielen resultiert, wie in Sternheims Figuren der in wenige Einzeltypen zerlegte Zeitgeist Gestalt gewinnt. Die vorgenommenen Gruppierungen entsprechen den realen Machtverhältnissen und signalisieren gleichzeitig die durchgreifende soziale Umschichtung. Traditionelle an Grund und Boden gebundene Werte weichen solchen einer scheinhaften Kapitallogik. Es wäre aber nun verfehlt, wenn man den Grafen Palen aus dem *Snob* und den Grafen Rheydt aus der Komödie *Der Kandidat* zusammen mit den Figuren wie Scarron und Mandelstam in die Gruppe der Machtlosen einreihen würde. Allein die Absicht der beiden Aristokraten, ihre Kinder mit den Söhnen und Töchtern des Kapitals zu verbinden, zeigt an, daß sie die Zeichen der Zeit verstanden haben und eine weitere Einflußnahme auf die Gesellschaft vom Mitverfügungsrecht über Kapital abhängig machen.

Das unterscheidende Merkmal ist letztlich im Bewußtsein der handelnden Personen zu suchen, insofern liegt auch hier ein phänomenologischer Zugriff vor. Dort, wo sich das Bewußtsein einstellt, daß Kapitalzuwachs auch gleichzeitig einen Zuwachs an realer Macht impliziert, ja Macht nur über den vermehrten Kapitalbesitz erreichbar ist, ist die erste grundlegende Voraussetzung für den Aufstieg innerhalb der kapitalistischen Gesellschaft geschaffen. Insofern ist die Frage, die Graf Palen hinsichtlich der bevorstehenden Heirat mit dem reichen Bourgeois seiner Tochter stellt, von symptomatischer Bedeutung:

„Nähmst du ihn auch, besäße er seine Reichtümer nicht, die uns aus einer Reihe schwieriger Umstände retten."[10a] Der Adel hat seine prekäre Lage erkannt und begreift die Verbindung mit dem kapitalstarken Bürgertum als letzte Rettung. Er flüchtet sich nicht in wirklichkeitsfremde Utopien, sondern macht sich die geänderten Systembedingungen zunutze. Wenn er auch seinen traditionellen Platz an den Schaltstellen der Macht dem Bürger überlassen mußte, so bleibt ihm durch Anpassung an die geltenden ökonomischen Bedingungen die Rolle des Mindermächtigen. Sein Adelsprädikat setzt er dabei als begehrten Tauschwert ein, da es die neu errungene bürgerliche Machtposition nachträglich in den Augen der Welt legitimiert.

Kennzeichnend für das Verhältnis von Mächtigen und Mindermächtigen ist, daß man die jeweilige Interessenlage des Gegenübers durchschaut, diese aber niemals offen ausspricht, sondern versucht, die Interessen des anderen optimal für die Durchsetzung der eigenen Absichten zu nutzen. Insofern sind die Figuren alles andere als gleichwertige Kommunikationspartner, vielmehr wird jeder nach Maßgabe seiner potentiellen Einflußnahme im Rollenspiel der Macht zum Subjekt bzw. Objekt einer exakt kalkulierten Spekulation. Die Kommunikation zwischen ihnen entartet zu einem mehr oder weniger geschickt geplanten Verkaufsgespräch mit der eindeutigen Absicht der Profitsteigerung. Auf diese Problematik wird im Zusammenhang mit der Dialoggestaltung noch näher einzugehen sein.

Sowohl unter den Mächtigen als auch unter den Mindermächtigen und den Machtlosen treten eine Reihe von Varianten auf. Nicht immer gibt sich der Mindermächtige von vornherein mit seiner Rollenfixierung zufrieden, sondern ist bestrebt, den Mächtigen aus seiner Position zu verdrängen. Im Schauspiel *1913* erwächst Christian in der eigenen Tochter Sofie eine ernstzunehmende Rivalin. Es gelingt ihr zunächst im Alleingang eine größere Transaktion zu unternehmen, auf die ihr Vater bezeichnend reagiert: „Dieses Weib denkt in Entladungen, jeder Federstrich ist ein Plus in ihr Konto. Ein Tag Abwesenheit kostet mich Prestige, Macht, Vermögen."[11] Nicht sachliche Aspekte stehen im Vordergrund, sondern durchaus affektive Machterwägungen. Der andere ist nicht mehr als Mensch relevant, sondern wird unter dem Druck der Konkurrenz zum Rivalen entfremdet. Aber auch die eigene Position ist nicht gekennzeichnet von persönlicher Entfaltung und der Möglichkeit zu individueller Entscheidung. Vielmehr steht auch der Mächtige in einem Reiz-Reaktionsfeld. Auf die Herausforderung der Tochter muß Christian reagieren, wenn er ihr nicht kampflos den Platz räumen will. Kompromisse sind ausgeschlossen. Die Verselbständigung des Kapitals und der von ihm abhängigen Machtausübung liquidiert die Chance einer individuellen Persönlichkeitsentfaltung. Sowohl für Christian als auch für Sofie wird die Religionszugehörigkeit zum Manipulationsinstrument der Macht. Hatte Sofie den Auftrag durch die holländische Regierung eingeholt mit dem Hinweis auf das protestantische Glaubensbekenntnis der Maske-AG, so macht Christian diesen Erfolg wieder zunichte, indem er zum katholischen Glauben übertritt.

Das Übermaß der Anspannung aber führt zu seinem Tode, und noch in seinen letzten Minuten ist er ausschließlich besessen von dem Bewußtsein seines Sieges und der Zurückgewinnung der Macht, die für den Sterbenden von grotesker Wirkungslosigkeit ist. Der Aufbruch des Bürgers zu einer freiheitlichen Lebensgestaltung scheitert ironischerweise an der von ihm selbst vorangetriebenen Wirtschaftsform mit ihrem Erfolgsdiktat und ihren erbarmungslosen Konkurrenzkämpfen. Zwar gelingt es dem Mächtigen, die Schar der Botmäßigen als Funktionsteilchen in die Maschinerie seiner Macht einzubauen, aber er selbst fällt letztlich dem unheilvollen Pakt mit dem Kapital zum Opfer. Auch im Bewußtsein Sofies spiegelt sich die Verselbständigung des Kapitals mit seinen chaotischen Tendenzen: „Wir gründen wie ihr, weit vorsichtiger und geschäftskundiger sogar, ohne freilich irgendwie sehen zu können, wohin das alles geht.“[12] Eine Welt von Marionetten tut sich auf, in der man den Sachzwängen des Kapitals folgend, sich außerstande sieht, die Konsequenzen zu überschauen. An die Stelle der Schicksalsgläubigkeit früherer von feudalen Lebensformen beherrschten Epochen ist die Verfallenheit an die anonyme Macht des Geldes getreten. Nicht Emanzipation, sondern Repression mit anderen Mitteln hat das bürgerliche Zeitalter den handlungsmächtigen Produzenten wie den machtlosen Konsumenten gebracht.

Während die Mächtigen jedoch in der Lage sind, die Eigengesetzlichkeit der Kapitalbewegung zur Verbreiterung ihrer Machtbasis einzusetzen und nicht zögern, es zu tun, werden die Machtlosen zu ausführenden Organen, zu Befehlsempfängern und Erfüllungsgehilfen herabgewürdigt. So erklärt sich auch Christians Selbstvergleich mit Napoleon: „Hast du die drei Minuten vor der Seele, die Barras Napoleon gab, mit der Übernahme des Armeekommandos sein Leben zu entscheiden?“[13] Dem industriellen Armeekommandeur steht auch in *1913* das Fußvolk gegenüber, um im Bild zu bleiben. Die Reihe der Scarrons und Mandelstams wird fortgesetzt durch die Kinder Christians, Ottilie und Philipp Ernst, sowie Christians Privatsekretär Krey. Krey ist der Typ des ideologischen Utopisten, der die der Ziffer verfallene Welt kurieren möchte mit der Medizin eines Nationalismus, der in seinen romantisierenden Tendenzen an die Zeit des Turnvaters Jahn erinnert. Doch es fehlen ihm sowohl der einzig Geltung verschaffende Kapitalbesitz als auch die notwendigen Kenntnisse, um das System aus den Angeln heben zu können. So muß er sich von Sofie sagen lassen: „Apostel und Predigten schrecken uns nicht."[14] Am Ende reiht er sich ein in den textilen Mummenschanz, der das Schlußbild beherrscht. Zum Verhängnis wird ihm wie allen Utopisten die fehlende Einsicht in die dominanten Systembedingungen, d. h. auf den speziellen Fall bezogen, er ist nicht vorgestoßen zu der unabdinglichen Bewußtseinsformel, daß Macht die Funktion des Kapitals ist. In der Erkenntnis, daß der bloße Veränderungswille nicht ausreicht, um ein funktionierendes System außer Kraft zu setzen, und mag sich dieser Wille auch noch so marktschreierisch gebärden, liegt die eigentliche aktuelle Brisanz einer Gestalt wie Krey.

Machtlos wie dieser, wenn auch im ganzen anders orientiert, ist ebenfalls der einzige Sohn Christians. Im Gegensatz zu Krey lehnt er von vornherein jegliche Beschäftigung mit Finanzdingen ab. „. . . trage seit drei Monaten ein Bündel Papiere herum, Abrechnungen. Saldo zu ihren Gunsten usw. Sie wissen Bescheid; das heißt, man weiß nie, zu wessen Gunsten; netto, brutto - italienisches Kauderwelsch."[15] Aus der anonymen Welt des Kapitals hält sich Philipp Ernst bewußt heraus und flüchtet sich in eine modische Scheinexistenz auf Kosten völliger Einflußlosigkeit. Mit den Attributen der jeweils neuesten Mode ausstaffiert, wird er zum Mitläufer und Nutznießer der bestehenden unmenschlichen Verhältnisse, die er durch sein unkritisches Verhalten stabilisiert. Überzeugend verkörpert sich in ihm die parasitäre Existenz des jegliche Verantwortung von sich abweisenden Playboys. Trotz der Unterschiede treffen sich Krey und Philipp Ernst dort, wo es um den Einfluß auf die Welt geht, die Christian exemplarisch repräsentiert.

Ideologische Utopie und modischer Eskapismus sind beide gleichermaßen wirkungslos, und nicht von ungefähr läßt Sternheim Krey zum Schluß in einen modischen Schlafanzug schlüpfen. Wenn Krey seine Erfolge in pseudopolitischer, emphatischer Schönrednerei sucht, so Philipp in einem hemmungslosen, betäubenden Konsum. Beide Verhaltensweisen sind jedoch nur Surrogate für den in der politökonomischen Realität versagten Erfolg. Die Machtlosen und die Mächtigen sind komplementäre Erscheinungen einer inhumanen Welt. Während jene systemfremd Utopien, Träumen und Ersatzbefriedigungen nachhängen, begründen diese ihre Position auf Grund der systemimmanenten Losung Macht durch Kapital.

Die bisher beobachteten personalen Konstellationen geben Auskunft über den unaufhaltsamen Aufstieg des Bürgertums. Der seinen erwachenden Machtinstinkt in den eigenen vier Wänden hemmungslos auslebende Spießer stößt bezeichnenderweise nicht auf den geringsten Widerstand. Seine engste Umgebung, durch die verinnerlichten Normen der Anpassung um jeden Preis frustriert, hat der egoistischen Ausdehnung des Handlungsmächtigen nichts entgegenzusetzen. Erst mit dem Eintritt der Nachfolgegeneration in die große Finanzwelt tritt die Gruppe der Mindermächtigen ins Blickfeld. Sie rekrutieren sich zunächst ausnahmslos aus den Kreisen der Adeligen. Feudale Vergangenheit und bürgerliche kapitalistische Gegenwart sehen sich konfrontiert, und es ist symptomatisch, daß der Adel seine führende Rolle selbst als ausgespielt betrachtet und sich auf dem Wege der Integration in die Kapitalwelt den Status des Mindermächtigen zu sichern bestrebt ist. Der Gruppe der Machtlosen schenkt Sternheim während dieser Phase kaum Beachtung, da es hier nicht in erster Linie um das repressive, sondern um das rivalisierende Moment geht. Mit der bürgerlichen Machtergreifung erfolgt dann eine weitere aufschlußreiche Veränderung der personalen Konstellation. Das repressive Moment rückt nach dem notwendigen Durchgang durch die Rivalitätsphase wieder stärker in den Vordergrund, deutlich gemacht durch die zunehmende Zahl der Machtlosen innerhalb des Komödienpersonals. Die Mindermächtigen gehören nun nicht länger den adeligen Kreisen an, sondern entstammen selbst dem großkapitalistischen Milieu. Im bezeichnenden Unterschied zu den Adligen, die aus Einsicht in den Niedergang ihrer traditionellen Führungsrolle handelten, verwickeln sich die Mindermächtigen bourgeoiser Provenienz in schonungslose Positionskämpfe. Nicht die Erhaltung des bestmöglichen Statuswerts, sondern Statusverbesserung ist ihr Ziel im Rahmen des von der kapitalistischen Wirtschaftsform heraufbeschworenen Konkurrenzkampfes. Die auf die Vernichtung des Gegners abzielenden Auseinandersetzungen führen dann letztlich zum vorläufigen Zusammenbruch der bürgerlichen Wirtschaftswelt. Der 1. Weltkrieg gewinnt in diesem Zusammenhang katalysatorische Bedeutung. Es ist daher bezeichnend, wenn im Schauspiel *Das Fossil*, das zunächst den Titel *1921* tragen sollte, nur noch die Gruppe der Machtlosen begegnet. Die Militärs, die Großbürger wie die utopischen Ideologen sind allesamt praktisch einflußlos. Auch die Verteilung der herausgearbeiteten Gruppierungen im Rahmen der einzelnen Komödien folgt also historisch-soziologischen Einsichten, die ohne Hineinnahme des wilhelminischen Geschichtskontexts nicht nachvollziehbar wären.

Mit der Maske-Tetralogie hatte Sternheim den exponierten zeitgeschichtlichen Gesellschaftsprozeß gestaltet, der bei gleichzeitiger Entmachtung des Adels den Aufstieg des Kleinbürgers zum Großbürger zum Gegenstand hatte. Ein solcher die Zeitgeschichte beherrschender Umschichtungsprozeß konnte natürlich nicht ohne Einfluß bleiben auf das Bildungsbürgertum und die Angehörigen der sozialen Unterschicht, auf die gesellschaftlichen Gruppen also, die am Rande der bisher verfolgten bourgeoisen Aufwärtsentwicklung standen.

„Für die mittlere Schicht gebildeter Bürger ergab sich als die Masse definierend der Typus des Oberlehrers Heinrich Krull."[16] Krull in der Komödie *Die Kassette* ist ein typischer Repräsentant des Bildungsbürgertums, dessen Hauptaufgabe darin zu bestehen scheint, die materielle Basisgesinnung bürgerlicher Welt mit Phrasen zu verklären. Nur in dieser Funktion ist dem Bildungsbürger sein Platz sicher unter den Spitzen der wilhelminischen Gesellschaft, die sich ihn als einen vom Staat bezahlten Pseudoidealisten hielt, um den Deckmantel über die allgemeine Ernüchterung zu breiten. So schreibt auch Alfred Weber: „Die gesamte aus der optimistischen Periode des 18. Jahrhunderts stammende Ideenwelt war unterhöhlt. Sie wurde seit der realistischen Ernüchterung an vielen Stellen nur nach dem Schein nach fortgelebt."[17]

Getreu scheint Krull seine Aufgabe scheinhafter Verklärung zunächst zu erfüllen, indem er die karge Wirklichkeit mit dem Faltenwurf der Tradition drapiert: „Kinder, ist Gottes Welt schön am Frühlingsmorgen. Vor stolzen Burgen, die auf uns niedergrüßen, auf deutschem Strom gleitet man zu Tal. Germania grüßt und Lurley, bis auf ehernem Roß in Koblenz."[18] Eingefaßt in eine pseudoromantische Diktion, wird die Rheinfahrt zum Bindeglied zwischen mittelalterlicher Burgenherrlichkeit und dem theatralischen Gepränge des wilheminischen Kaiserreichs, vertreten durch das kolossale Niederwalddenkmal und das Reiterstandbild Wilhelm des I. Gerade im Vergleich mit den Burgen aber, tritt die dekorative Fassadenkunst der Zeit umso deutlicher hervor. Die additive Darstellungsweise gibt dem Bildungskaleidoskop den willkürlichen Charakter eines Reiseprospekts. In der Tat ist die Ideenwelt der Vergangenheit zur Denkmalspose erstarrt. Hinter der Fassade der kolossalischen Geschichtsklitterung regt sich auch in Krull der kapitalbesessene und machthungrige Bürger. „Stark aber, voll Hochgefühls werde ich, strecke ich aus dem Schein des Ansehens, das der Besitz verleiht, vorwärts in die Welt meine Fänge gegen die Menschen und lasse sie aus ihrer Demut vor der Chimäre tanzen!... Aus einer Vergangenheit von dreißig Jahren in künstlicher Demut wuchs Wille, Menschen zu meiner Wollust auszubeuten."[19] Besitz- und Machtdenken, lange aufgestaut durch die starre Rollenfixierung, werden hemmungslos die Schleusen geöffnet. Der Bildungsbürger mausert sich in seinem Bewußtsein zum homogenen Glied der kapitalorientierten Wirklichkeit. Ohne Zweifel entspricht sein Bewußtseinsstand demjengen eines Theobald oder Christian Maske, aber was dort an realen Möglichkeiten des Kapitalzuwachses und der Verfügbarkeit über Kapital gegeben war, entpuppt sich bei Krull als bloße Kapitalfiktion. In grotesker Ahnungslosigkeit kalkuliert er mit Vermögenswerten, die notariell längst der katholischen Kirche überschrieben worden sind. So wird *Die Kassette* zur tragikomischen Farce des Bildungsbürgers. Schon Ernst Stadler hatte die Ansicht geäußert, daß die vorliegende Komödie „am stärksten die Tragödie streift."[20] Tragisch ist die Existenz Krulls insofern, als an ihr die Einfluß- und Bedeutungslosigkeit des Bildungsbürgers als unausweichliches Faktum dargestellt wird. Der Scheinhaftigkeit seines kaleidoskopischen, von ihm selbst nicht ernstgenommenen Bildungsangebots entspricht die nur eingebildete Machtposition, die nun hinwiederum vom Zuschauer nicht ernstgenommen wird. Der Bildungsbürger wird als eine durch und durch fiktive Existenz entlarvt und sieht sich damit eingegliedert in die Gruppe der Machtlosen innerhalb des Sternheimschen Komödienpersonals.

Die eigentliche Handlungsmächtige aber ist die Erbtante als verknöcherte Personifikation kapitalistischer Ernüchterung. Sie ist die Drahtzieherin in dem bürgerlichen Marionettenspiel, in dem jeder nur den Spielraum hat, den sie ihm zugesteht.

Eine interessante Variante der geltenden Charakterisierungsnormen ist in diesem Zusammenhang Fanny, die Frau Krulls. Sie ist eine der wenigen, die auf das Geld der Tante keinen großen Wert legen. Elise Dosenheimer zieht die Schlußfolgerung: „... so ist Krulls Frau, Fanny, die einem Rendevouz mit Seidenschnur ‚in uferloser Sehnsucht' entgegensieht, gewiß nichts weniger als eine Idealfigur. Aber im hier entscheidenden Punkt steht sie weit über dem Oberlehrer."[21]

Unberücksichtigt bleibt der entscheidende Tatbestand, daß Fanny ihre

Sexualität nicht aus personaler Zuneigung, sondern aus Berechnung einsetzt. Unmißverständlich formuliert sie im Hinblick auf die Erbtante: „Doch nicht viele Worte über sie. Ihre Rolle ist hier ein für allemal aus.", und etwas weiter: „Es war die Bedingung, unter der ich Sidoniens Platz an deiner Seite einnahm."[22] Sexualität wird zum Machtinstrument ähnlich wie das Kapital in den Händen Tante Elsbeths. Besonders die von Fanny bewußt in Szene gesetzte Suche nach dem angeblich verlorengegangenen Medaillon unterstreicht eine solche Wertung, Krull durchschaut diese Strategien durchaus, wenn er später ausdrücklich sagt: „Hohoho die Kassette! Jede von euch trägt ihre in erhobenen Händen, zeigt sie vom Morgen zum Abend und lockt: komm, Kleiner, komm, hähähä. ‚Ich habe mein Medaillon verloren tiefer in die Brüste.' hähähä."[23] Machtstreben nimmt einen zentralen Platz im bürgerlichen Bewußtsein ein. Insofern ist Fanny in der Tat keine Idealfigur, vielmehr gehört sie unauflöslich der Bürgerwelt an, die sie planend und intrigierend im engen Kreis der Familie kontrollieren möchte. Anschaulich wird vorgeführt, wie das instrumentale Machtdenken des Kapitalimus selbst die elementarste menschliche Triebsphäre zu korrumpieren beginnt. Überdeutlich spiegelt sich diese Perversion ja in dem Umstand, daß Fanny der Kassette im Ehebett letztlich weichen muß. Dadurch wird aber ebenfalls klar, daß Fanny ebenso wie ihr Mann auf der Seite der Machtlosen steht, denn die Formel Macht durch Sex erweist sich der systemkonformen Formel Macht durch Kapital als eindeutig unterlegen. Das Kapital wird zum bevorzugten Ersatzobjekt einer pervertierten Erotik.

Anders als der Bildungsbürger, der abseits des warenschaffenden Produktionsprozeßes steht, und gerade dadurch zum Scheitern verurteilt ist, gehört der Proletarier zu den integralen Bestandteilen der Produktionsbasis. Sternheim hat sich gleich in zwei Komödien mit proletarischen Orientierungsschemata auseinandergesetzt. Paul Schippel im *Bürger Schippel* und Wilhelm Ständer in *Tabula rasa* sind typische Repräsentanten der Arbeiterschicht im wilhelminischen Zeitalter. Was die personale Konstellation anbetrifft, so unterscheiden sich die beiden Stücke jedoch wesentlich.

Im *Bürger Schippel* steht der Proletarier einer zunächst festgefügten bürgerlichen Welt gegenüber. Hicketier als Vertreter des etablierten Handwerks, Krey als loyaler Beamter und Wolke als Repräsentant des Unternehmertums stellen die abschirmende Personalunion des einflußreichen Provinzbürgertums dar. Der machtvollen Verbindung von Produktionsmittelbesitz und bürokratischer Administration hat der

Proletarier Schippel nichts entgegenzusetzen. So scheint er von Anfang an zur Ohnmacht und zum Gegenstand sozialer Ächtung verurteilt zu sein. Aber gerade aus der Gründermentalität des reichgewordenen und etablierten Bürgers erwächst ihm eine ungeahnte Chance, denn der Bürger war keinesfalls gewillt, sich allein mit dem Bewußtsein der eigenen Machtposition zufriedenzugeben, vielmehr trieb es ihn dazu, die erreichte Statusverbesserung öffentlich zur Schau zu stellen. Während sich die Hochfinanz in den Städten parvenuhaft mit pseudofürstlichen Attributen dekorierte, mußte sich das Provinzbürgertum mit vergleichsweise bescheideneren Repräsentationsformen begnügen. Hicketier, Wolke und Krey befriedigen ihr Renommierbedürfnis durch öffentliche Auftritte als Gesangsgruppe. Als aber nun der Tenor stirbt, sehen sie ihre auf bloße Renommage abzielenden Absichten bedenklich gefährdet. Erst auf diesem Hintergrund werden ihre Aufregung und ihre Bereitschaft verständlich, sogar dem stimmbegabten Proletarier einen Platz in ihrem Quartett einzuräumen. Nicht revolutionäre Aktivitäten führen also letztlich zu einer Verbesserungschance für die Lage des Proletariers, wie es die marxistische Doktrin will, sondern das Lächerliche streifende systemimmanente Erfordernisse. Schippel, dessen einziges Kapital seine Arbeitskraft ist, setzt seine spezifische Begabung bewußt als Tauschwert ein für den sozialen Aufstieg. Er unterwirft sich damit der possessiven Verdinglichung der kapitalistischen Gesellschaft, und es zeugt von einer bemerkenswerten Ignoranz, wenn Richard Brinkmann trotz allem meint, daß es auch im *Bürger Schippel* „um das Ich, das sich zu sich selbst befreit"[24] gehe. Auf dem Wege der Anverwandlung bürgerlicher Orientierungsschemata gelingt Schippel der soziale Aufstieg, an dessen Ende die totale Verbürgerlichung steht. Integrationsfähigkeit wird zu einem wesentlichen Charakteristikum bürgerlicher Stabilisierungstechniken. Wie dem Adligen, so wird auch dem Proletarier die Rolle des Mindermächtigen eingeräumt. Systemgefährdende Aktivitäten werden durch die Garantie von Wohlstandsminima abgeblockt.

In *Tabula rasa* hat sich Schippel als Werkdirektor zum Erfüllungsgehilfen des Unternehmertums hochgearbeitet. Insofern steht er auch als nunmehr Etablierter nicht mehr im Zentrum. An seine Stelle ist Ständer als proletarische Mittelpunktfigur getreten. Ständers Weg in die bürgerliche Integration vollzieht sich aber nun nicht mehr auf dem Weg personaler Auseinandersetzung, sondern in erster Linie durch die Nutzung des anonymen Kapitalprozesses. Versicherungen und Aktienspekulationen sind die Bedingungen seiner letztlich unabhängigen

Position, aus der heraus er mit seiner Umwelt abzurechnen vermag, nachdem er in den Ruhestand getreten ist.

Da das Personal in dieser Komödie sich vornehmlich aus der Schicht des Proletariats rekrutiert, erscheint Ständer während des ganzen Stücks als der eigentliche Handlungsmächtige. Seiner Dienstmagd gegenüber, die er arbeitsmäßig und sexuell ausbeutet, tritt er als repressiver Arbeitgeber auf, und den radikalen Kommunisten Sturm sowie den evolutionistischen Sozialdemokraten Flocke verweist er in die Gruppe der machtlosen Utopisten, die man zwar taktisch für die Durchsetzung eigener Interessen nutzen kann, die aber darüberhinaus von keinerlei Einfluß sind.

Im proletarischen Milieu wiederholen sich die sattsam bekannten Vorgänge, die in der Maske-Tetralogie zum Aufstieg des Bürgertums geführt hatten. Hier wie dort ist der Kapitalbesitz der einzige Schlüssel zur Macht. Die Ideologie vom proletarischen Klassenbewußtsein erweist sich gegenüber der Korruption durch den Besitz als bestenfalls fixe Idee. Insofern ist der Proletarier ausschließlich quantitativ, d. h. im Hinblick auf die ihm zur Verfügung stehenden finanziellen Mittel, vom Bourgeois unterschieden. Wie dieser ist er zur Mimikry und zur Ausbeutung anderer bereit, wenn ihm daraus Vorteile erwachsen.

So sind die beiden Proletarierkomödien überzeugender Ausdruck der zunehmenden Verbürgerlichung und Korruption der sozialen Unterschicht. Franz Norbert Mennemeiers Interpretation geht daher an den realen soziologischen Fakten, sofern sie in den Schauspielen verarbeitet sind, vorbei, wenn er meint: „Ständer bekennt sich hier am Ende entschieden zu dem Individualismus, der ihn bislang bei allen seinen Handlungen insgeheim geleitet hat.“[25] Aber offenbar ist dem Interpreten bei dieser Wiederholung der Emrichschen These selbst nicht ganz wohl und wahrscheinlich unter dem Einfluß der sozialpsychologischen Studie Sebalds relativiert er: „Indem Sternheim die Kategorie der Subjektivität ohne Abstrich zu inthronisieren sucht, verfällt er dem Schein primitiven Radikalismus.“[26] Die seit Sebald üblich gewordene Deutung Sternheims als Opfer der eigenen Zeit löst sich jedoch – nicht ganz ohne Peinlichkeit für Mennemeier – auf, wenn man Sternheims Selbstdeutung von *Tabula rasa* heranzieht. „Mit seinen Ausbeutern war der Arbeiter durch gleiche Ziele am Geschäft, am Staat und seiner Macht interessiert ... Im meinem Schauspiel *Tabula rasa* habe ich die ungeistige Tendenz auch des deutschen Arbeiters bis in die letzten Konsequenzen plastisch geschildert und ad absurdum geführt. Dort zeige ich, wie der von der Arbeit heimkehrende, bei fabelhafter Konjunktur glänzend verdienende und durch eine Unzahl von Renten bis zum Tode behütete kapitalistische Proletarier bei verhängten Gardinen und verstopften Schlüssellöchern schon heimlich bei Phonographenklang ein leckeres Abendbrot einnimmt, in Börsenpapieren wie der gerissene Börseaner spekuliert."[27]

Solange die Literaturwissenschaftler sich allerdings ex officio dazu verpflichtet sehen, ungeachtet der gesellschaftlichen Hintergründe im Dichter den Produzenten positiven Gedankenguts zu sehen, wird man sich gerade den Zugang zu der eigentümlichen Sichtweise Sternheims verstellen und sich den Vorwurf einer verschleiernden Ideologieproduktion nicht ersparen können. Es ist nicht uninteressant zu beobachten, daß die ungetrübtesten Wertungen zu Sternheim nicht aus der Feder von Literaturwissenschaftlern stammen, sondern von Theaterkritikern von Franz Blei bis Hellmuth Karasek.

Es dürfte durch die vorausgegangenen Ausführungen zu den Konstruktionsnormen des Komödienpersonals bei Sternheim hinreichend klar geworden sein, daß es sich bei den Maskes, Krulls und Schippels keineswegs um Helden im eigentlichen Sinn des Worts handelt, und es hilft auch nicht weiter, wenn man gelegentlich den Versuch unternommen hat, gewisse Personengruppen als negativ bzw. positiv abzuspalten. Solche Differenzierungen sind sämtlich nicht frei von Willkür und können einer eingehenden Prüfung nicht standhalten. Die Heldenthese wird auch dadurch nicht überzeugender, reißt man wie Brinkmann Zitate aus ihrem Kontext. So zitiert er: „Ich entfachte zu keiner Erziehung; im Gegegenteil warnte ich vor einer Verbesserung göttlicher Welt durch den Bürger und machte ihm Mut zu seinen sogenannten Lastern, mit denen er Erfolge errang ..."[28] Vor allem auf dieses Sternheim-Wort stützt Brinkmann seine These von der Selbstbefreiung des Individuums. Nun hätte er allerdings gut daran getan, das obige Zitat nicht allein im Kontext des Artikels *Kampf der Metapher* zu verfolgen, sondern auch im Kontext der längeren Arbeit *Berlin oder Juste milieu*. Dort wiederholt sich zunächst der gleiche Wortlaut wie oben, aber im unmittelbaren Anschluß daran gibt Sternheim eine überraschende Selbstdeutung des herangezogenen Zitats: „Im Grunde aber hoffte ich, der Arbeiter sähe statt des ihm frisiert hingesetzten Mannes des Juste milieu daraus endlich den wahren und echten Jakob ein ..."[29] Es geht Sternheim also keineswegs um die heldische Selbstverwirklichung oder gar um Akte der erkennenden Liebe, wie Emrich etwas verstiegen formuliert, sondern um eine wahrhaftige Analyse bürgerlicher Welt, die sich nur allzu gern hinter einer dekorativen Fassade zu verschanzen bestrebt war. Sternheims erklärte Absicht besteht darin, seine sogenannten Helden aus ihrer Tarnung herauszulocken, so daß ihre moribunden Eigenschaften offen an den Tag treten. Erst dann wird der Mangel an „einem schönen Maß, das der Bühnenheld nicht hatte,“[30] transparent. Aus der totalen Negation des Bühnenhelden soll dialektisch der Wille zur positiven Standortbestimmung beim Zuschauer erwachsen. Dialektik ist dabei durchaus im Sinne Brechts zu verstehen, der sie als „die Kunst des praktischen Negierens,“[31] bestimmt. Die Rolle, die auf diesem Wege dem Zuschauer zugeschrieben wird, muß als wesentlicher Teil der emanzipatorischen Intentionen des Autors aufgefaßt werden. Nicht programmatische Utopien, sondern die auf analytisch-empirischem Weg nahegelegte Negation schafft erst die Motivierung für die Mobilisierung verändernder Energien.

In Sternheims Wunsch, es möchte sich durch die hemmungslose bürgerliche Selbstdokumentation „der Zeit Wahrhaftigkeit endlich offenbaren,“[32] wird wiederum ein durchaus phänomenologischer Ansatz sichtbar. Die Erscheinungsformen des Bürgers müssen durchlässig werden für die zu leistende Wesenserkenntnis. Insofern sind die nach der Kategorie der Machtverteilung vorgenommenen Typisierungen von heuristischem Wert. An den figuralen Stereotypen des Mächtigen, Mindermächtigen und des Machtlosen wird das Wesen der Epoche sichtbar, deren motorisches Element das Machtstreben war; gleichzeitig verweist eine solche Reduktion auf die Verkümmerung des Menschen im Bann von Kapital und Macht.

Exkurs: Die Stellung der Frau

Die bisherige Personalanalyse der Sternheimschen Figuren zeigte den Menschen in erster Linie als ein Wesen mit ausschließlich ich-besetzten Zielen. Einem Optimum an Machtbesitz stand ein Optimum an Machtlosigkeit gegenüber. Dabei offenbarte sich im wesentlichen eine männlich beherrschte Welt, in der die Frau nur in Ausnahmefällen von Machtintentionen geleitet erschien. Als erfolgreich erwies sich in diesem Zusammenhang lediglich die bereits bejahrte Erbtante aus der *Kassette*. Elise Dosenheimer meint aus dem Tatbestand, daß sich die Frau überwiegend aus den Positionskämpfen heraushält, die Folgerung ziehen zu können: „Gegenüber dem Manne besteht bei Sternheim auch noch in dieser negativen Welt die Frau auf dem Recht des

Lebens, der Person und des Gefühls. Während der Mann ohne Bedenken und Widerstand sich selbst preisgibt und verliert, sucht sie ihre Natur zu bewahren."[1] Ob diese idealistisch eingefärbte These tatsächlich einer kritischen Überprüfung standhalten kann, soll zunächst eine Aspektanalyse der *Kassette* zeigen. Gerade dieses Schauspiel führt eine Reihe von Frauengestalten vor.

Einleitend tritt die Dienstmagd Emma im Gespräch mit dem Photographen Seidenschnur auf. Faßt man seine Äußerungen, die auf ein neuerliches Rendevouz abzielen, zusammen, so ergibt sich ein bezeichnendes Bild: „... Gieb dein Mäulchen. War's schön gestern abend? Scharmante Angelegenheit bist du... Wäre meine Klientèle so leicht wie du zufrieden, kleine reizende Person! Heut abend zur selben Stunde, wenn's gefällt... Auf Wiedersehen heut abend au clair de lune. Komm im blauen Blüschen."[2] Die Dialoganteile Emmas beziehen sich im wesentlichen auf eine verschämte Zustimmung, die eine unverhohlene Lust an der baldigen Neuauflage des Vergnügens erkennen lassen. Seidenschnur dominiert. In der versachlichten Formel „scharmante Angelegenheit" schrumpft das weibliche Gegenüber für ihn zusammen zu einem Wesen mit sexuellen Bedürfnissen, die es mit dem Ziel des eigenen Lustgewinns hervorzulocken und zu befriedigen gilt. Wie die ökonomischen Bedürfnisse durch das Warenangebot auf dem Warenmarkt befriedigt werden, so führt das Angebot der Sexualität zum gemeinsamen Ziel der Triebbefriedigung. Deutlich wird eine solche Ökonomisierung durch Seidenschnurs vergleichenden Hinweis auf seine Kundschaft. Paralellisierbar ist darüberhinaus aber auch das Bemühen um den schönen Schein, wesentliches Element jeder Warenästhetik. Sowohl das blaue Blüschen, das Emma bei dem geplanten Rendevouz tragen soll, als auch die zumindest für Emma aufreizende fremdländische Wortwahl tragen zur Gebrauchswertsteigerung bei, die in der Warenwelt durch die Verpackung und das Verkaufsgespräch angestrebt wird. Sexualität wird als Tausch- bzw. als Gebrauchswert eingesetzt, um zur gegenseitigen Befriedigung der Triebbedürfnisse zu gelangen. Unübersehbar ist die Beziehung zwischen den Geschlechtern in der bürgerlichen Welt determiniert durch den Geist der Marktwirtschaft. Eine aufschlußreiche Parallele bildet Freuds Modell des Menschen. Erich Fromm führt darüber aus: „Freuds homo sexualis ist eine Variante des klassischen homo oeconomicus."[3] Ähnlich wie sein Zeitgenosse Freud sieht Sternheim bezeichnenderweise den Menschen bestimmt durch das Gesetz des Warentausches.

Auf ein sexuell ausbeutbares Objekt reduziert, stellt die Frau ihr spezifisches und gefragtes Angebot der Sexualität bereitwillig zur Verfügung. Von einer Bewahrung ihrer individuellen Natur kann kaum die Rede sein, da sie in erster Linie von den Triebbedürfnissen des Mannes manipuliert wird. Den Objektcharakter der Frau unterstreicht überdeutlich die Szene, in der Seidenschnur Lydia, die Tochter Krulls, photographiert: „Der Apparat wird gierig seine Linse aufreißen, Sie zu verschlingen,“[4] stößt Seidenschnur mit gespielter Emphase hervor, während er sein Objekt die Stellungen einnehmen läßt, die allein seinen Vorstellungen und eindeutigen Wünschen entspringen. Der symbolische Bezug liegt auf der Hand: Lydia, Objekt des Apparats wie der Triebbedürfnisse Seidenschnurs, ist wehrlos und benommen den „verschlingenden“ Interessen des Mannes ausgeliefert. Sowohl die Dienstmagd als auch die bürgerliche Tochter unterliegen den Herrschaftsformen des Mannes, dessen auf Ausbeutung gerichtetes Verhalten sie in der Regel nicht einmal durchschaut. Eine Sonderstellung nimmt allerdings Fanny ein. Wie bereits ausgeführt wurde, hat sie die Gesetze des sexuellen Warentausches erkannt und versucht bewußt, ihre Sexualität als Tauschwert für die Macht im Hause einzusetzen. Emma und Lydia vergleichbar folgt zwar auch sie den marktwirschaftlichen Mechanismen, aber sie ist gewillt über die Triebbefriedigung hinaus Profit aus ihrem Angebot zu schlagen, insofern befindet sie sich bereits auf einer höheren bürgerlichen Bewußtseinsstufe. Ihr entscheidender Irrtum besteht darin, daß nicht die Sexualität, sondern einzig und allein das Kapital zum ersehnten Machtbesitz führen kann. Letztlich fällt sie auf die Position Emmas und Lydias zurück, indem sie sich Seidenschnur, dem schmalzigen Routinier in Liebesdingen, ebenfalls hingibt und sich mit dem minimalen Profit der Triebbefriedigung zufriedenerklärt.

Wirklich überlegen ist unter den Frauengestalten nur die Erbtante, die innerhalb des sexuellen Warentausches schon auf Grund ihres Alters nicht länger konkurrenzfähig ist. Allein ihr Kapitalbesitz wird zur Bedingung ihrer Machtstellung. Aber auch in diesem Fall dürfte die Frau kaum als Bewahrerin des Rechts auf Leben, Person und Gefühl zu werten sein, vielmehr gibt sie sich in den Worten Elise Dosenheimers ebenso preis wie der Mann, indem auch sie den Pakt mit dem Kapital schließt.

So vollzieht sich die um die Jahrhundertwende heftig diskutierte Emanzipationsbewegung in Sternheims Komödien ausschließlich systemimmanent. Zwar war es der Frau nun möglich, in die Positionskämpfe einzugreifen, aber ein Erfolg war ihr nur dann sicher, wenn sie der kapitalistischen Wirtschaftsgesinnung folgte. *Die Kassette* ist nicht nur die Tragikomödie des Bildungsbürgers, darüberhinaus gestalten sich in ihr Möglichkeiten weiblicher Existenz im wilhelminischen Zeitalter. Entweder unterwarf sich die Frau unbewußt wie Emma und Lydia oder bewußt wie Fanny der patriarchalischen Ideologie des Mannes und damit den Bedingungen des Warentausches oder sie nutzte die Schwächung des patriarchalischen Systems in der Industriegesellschaft wie die Erbtante durch den Anschluß an den die Geschlechterdifferenz neutralisierenden Kapitalprozeß. Emanzipation hieß und heißt in diesem Zusammenhang nichts anderes als die Betrachtung der Frau unter dem Aspekt ihrer wirtschaftlichen Ergiebigkeit. Verzichtet die Frau aber aus wie immer gearteten Gründen auf die systemimmanente Integration, so ließe sich aus der Darstellung bei Sternheim folgern, bleibt ihr lediglich die Unterwerfung unter die Ausbeutungsinteressen des Mannes. Prostitution durch das System oder Prostitution durch die Interessenlage des Mannes ist die wenig verheißungsvolle Alternative in einer vom Warentausch beherrschten Bürgerwelt.

Den Typ der „emanzipierten" Frau hat Sternheim neben der Tante Elsbeth nur noch einmal dargestellt, und zwar in der Gestalt der Sofie in *1913*. Sofie von Beeskow erscheint dem Mann, in dessen Händen die Fäden der ökonomischen Herrschaft zusammenlaufen, fast ebenbürtig. Kalkulierend und taktierend läßt sie sich in den erbarmungslosen Positionskampf mit dem eigenen Vater ein, immer mit der unbeugsamen Absicht, die Macht allein an sich zu reißen. Aber offenbar auf Grund des Altersunterschiedes treten daneben auch andere Züge als bei Tante Elsbeth zutage. Deutlich wird dies in einem Gespräch mit ihrem Mann, das der Auseinandersetzung mit demVater vorausgeht:

> Sofie: Ich flankiere ihm, ich sei schwanger.
> Otto: Das entêtiert ihm.
> Sofie (an seinem Halse): Ich bin's auch. Wenigstens mit einer abgöttischen Liebe zu dir.
> Otto (küßt sie): Kleines Frauchen
> Sofie (hingegeben): Mein Jesus![5]

Die sonst so kühl kalkulierende Frau verhält sich dem Mann gegenüber ebenso benommen und hingerissen wie Emma, Lydia und auch Fanny. So apostrophiert Lydia ihren Geliebten Seidenschnur mit den Worten: „Du bist das Licht, die Wahrheit und das Leben."[6] Zumindest die jüngere, sexuell noch ansprechbare Frau, bezeugt in pseudoreligiöser Diktion ihre Unterwerfung unter die patriarchalischen Herrschaftsformen des Mannes. Die Herablassung Ottos, verdeutlicht durch die Wahl des Diminutivums, verweist auch im vorliegenden Fall auf die verdinglichte Stellung der Frau. Sofie ist ein Mischtyp, allerdings mit deutlicher Akzentuierung des Machtstrebens. In ihr spiegeln sich sowohl die ökonomisch bedingten Entfaltungsmöglichkeiten als auch die langanhaltende Unterdrückung des weiblichen Geschlechts in einer vom Manne beherrschten Gesellschaft.

Mit klarem Blick für die reale Stellung der Frau im wilhelminischen Zeitalter hat Sternheim daneben ausschließlich den antiemanzipatorischen Typ gestaltet, der, den Gesetzen des Warentausches folgend, je nach der männlichen Interessenlage als ausbeutbares Objekt bzw. als Tauschwert eingesetzt wird. Dies tritt bereits in den beiden ersten Stücken der Masketetralogie in Erscheinung. Frau Maskes peinliches Mißgeschick in der Öffentlichkeit wird als eindeutiges Angebot aufgefaßt, das Theobald die Mieter ins Haus lockt und ihm so ungeahnte Möglichkeiten der Einkommenssteigerung eröffnet. Frau Maske ist beides: potentiell ausbeutbares Sexualobjekt und als Lockvogel geschickt eingesetzter Werbegag. Eindeutig steht sie im ökonomischen Reaktionsfeld von Angebot und Nachfrage und gewinnt keinerlei Eigenleben. Von der Umwelt auf das Angebot der Sexualität reduziert, kommt ihr bestenfalls die Eindimensionalität der Ware zu.

Nicht viel anders ergeht es Sybil, der Geliebten Christians. Neben der Triebbefriedigung, die sie Christian garantiert, führt sie ihn ein in die Umgangsformen der höheren Gesellschaft. Mit der Erfüllung dieser Aufgaben erlischt auch gleichzeitig ihre Bedeutung. Die finanzielle Abfindung beendet ein Verhältnis, das von vorherein unter dem Aspekt partieller Bedürfnisbefriedigung geschlossen worden war. Mann und Frau bleiben im wesentlichen Fremde füreinander, deren einzige Beziehung das gemeinsame Ziel der Austausch zu Waren verdinglichter persönlicher Angebote ist. Der Frau kommt dabei nur episodische Bedeutung für den Mann zu. Ähnlich einem Konsumgut wird sie nach Erlöschen ihres Konsumwertes belanglos.

Wie perfekt auch der Adlige die marktwirtschaftliche Technik bereits beherrscht, die Frau als wohlfeilen Tauschwert einzusetzen, beweist Graf Palens geschickte Heiratsstrategie. Verarmt und verschuldet, führt er seine Tochter Marianne in die Arme des Bourgeois, weil er die dekorativen Bedürfnisse des kapitalstarken Bürgers durchschaut. Marianne wird zum Gegenstand einer ausschließlich ökonomisch bestimmten Transaktion, in deren Verlauf es darum geht, den Gebrauchswert der adligen Tochter für den Bürger entsprechend herauszustellen.

Eine perfide Steigerung solcher Vermarktung der Frau wird im *Bürger Schippel* gestaltet. Nachdem Thekla, die Schwester Hicketiers, den ausschließlich sexuellen Motiven des Fürsten zum Opfer gefallen ist gibt Hicketier dem Drängen des aufstiegsbegierigen Schippels nach und bietet ihm die Heirat mit Thekla an, der „höchsten Glanzes verlustig,“[7] nur noch der Wert eines Objekts aus zweiter Hand zukommt. Ein solches Angebot, so meint Hicketier, könnte Schippel endlich gefügig machen für die eigenen Absichten. Doch Schippel lehnt wider Erwarten ab, eine Frau, deren Gebrauchswert durch die Liaison mit dem Fürsten erheblich gesunken ist, entspricht nicht länger seinem gestiegenen Selbstbewußtsein.

Auf diesem Wege wird die Frau zum Gegenstand eines abstrakten Verwertungsinteresses, für das die individuelle Komplexität bedeutungslos geworden ist. „Jeder Tauschakt setzt unvergleichliche Qualitäten einander gleich in einer bestimmten quantitativen Proportion.“ führt Wolfgang Fritz Haug aus. „Diese Gleichsetzung abstrahiert radikal von der sinnlich qualitativen Mannigfaltigkeit; indem sie alle sinnliche Qualität reduziert auf bloße Quantität, negiert sie die sinnliche Eigentümlichkeit objektiv wie subjektiv.“[8]

Ähnlich dem Adeligen nimmt auch der Proletarier den Verwertungsstandpunkt der Frau gegenüber ein und paßt sich ebenfalls in diesem Punkt der alles umgreifenden bürgerlichen Wirtschaftsgesinnung an. Ein überzeugendes Beispiel dafür bietet noch einmal *Tabula rasa*. Der Magd Bertha, die um eine Lohnaufbesserung einkommt, entgegnet Ständer: „Fragst du dich, was du günstigenfalls mit deinem Leben vermöchtest, heißt die Antwort: was du auch wirklich leistest. Diese Gewißheit ist höchster Lohn des Daseins, den ich nicht überbieten kann.“[9]

Im Stil des Arbeitgebers unterstellt Ständer das Leben seiner Bediensteten dem Diktat der Leistung. Dem verständlichen Drängen Berthas stellt er eine abstrakte Forderung gegenüber, die sein eigenes ausbeuterisches Verhalten legitimieren soll, denn Leistung heißt in diesem Sinne ja nichts anderes als die optimale Ausnutzung von Berthas Arbeitskraft zugunsten des eigenen Vorteils. Die Mystifikation vom höchsten Lohn des Daseins verbindet er mit dem zynischen Eingeständnis, unfähig zu sein, einen solchen Lohn zu zahlen. So werden eindeutig materielle Interessen mit ideellen Scheinargumenten zugedeckt. Ständer entpuppt sich als geschickter Nachahmer bürgerlicher

Ideologien, denen die Dienstmagd letztlich zum Opfer fällt. Am Ende wird ihr, der Leistungsideologie folgend, ein noch höheres Arbeitspensum aufgebürdet bei gleichzeitigem Fortbestand der sexuellen Ausbeutung. Erst als Ständer der Magd nicht mehr bedarf, kündigt er ihr ohne jegliche Hemmungen. Die Frau wird unter dem Aspekt des Verwertungsinteresses zu einem beliebig austauschbaren Objekt mit Warencharakter.

Sowohl die Frau adliger und bürgerlicher Schichten als auch die Angehörige des Arbeiterstandes sehen sich in den Komödien Sternheims einer bedenkenlosen Ausbeutung ausgesetzt. Ähnlich äußert sich Simone de Beauvoir: „Die Klassen, in denen die Frauen eine gewisse wirtschaftliche Selbständigkeit genossen und an der Produktion teilnahmen, waren die unterdrückten, und als Arbeiterinnen waren sie noch stärker versklavt als die männlichen Arbeiter. In den herrschenden Klassen lebte die Frau als Schmarotzerin und stand als solche unter der Botmäßigkeit der Männer: in allen beiden Fällen war ihr das Handeln nahezu unmöglich gemacht."[10] Die weiblichen Figuren Sternheims stehen in einer vom Manne geplanten und beherrschten Welt. Daher erklärt sich die fast ausschließlich sexuelle Perspektive, in der die Frau für Gestalten wie Seidenschnur erscheint. Für Männer seines Schlages wird die Frau zum Beuteobjekt episodischer Begierden, die er auf dem Wege stereotyper Komplimentierfloskeln zu befriedigen sucht. Insofern stellen die Komödien ungeschminkt und entideologisiert das Verhältnis zwischen den Geschlechtern dar. Sternheims Zeitgenosse Pareto drückt die männliche Perspektive unmißverständlich aus: „Viele Frauenrechtlerinnen sind einfach Hysterikerinnen, denen das Männchen fehlt."[11] Auch in diesem Punkt geht es Sternheim also letztlich um das Erfassen des Wesentlichen ohne alles beschönigende Beiwerk, um dokumentarische Darstellungsabsichten. Die entscheidende Erkenntnis der Komödie liegt nun aber darin, daß das traditionelle Objektdenken des Mannes der Frau gegenüber im Rahmen der kapitalistischen Wirtschaftsgesinnung integriert wurde in den umgreifenden Verwertungsprozeß. Kapitalistische Produktion, vom Bürger mit dem Ziel der Ergreifung und Stabilisierung von Macht vorangetrieben, geht es in erster Linie um die Verwertung des Kapitals in Gestalt der Profitrate. Der ohnehin bestehende sexuelle Austauschmechanismus, der bei Freud seinen Niederschlag fand in der Herausarbeitung des Verhältnisses vom homo oeconomicus zum homo sexualis, legte nun auch eine weitgehende Ökonomisierung und Kapitalisierung der Frau nahe. Sowohl die Arbeitskraft der Dienstmagd als auch der Statuswert der adligen Tochter wurden als gut verzinsliches Kapital angesehen, das mit der Aussicht auf Profit ungeachtet menschlicher Problematik investiert wurde. Die neue kapitalistische Wirtschaftsform schuf eine umgreifende Ideologie, die die Unterdrükkung der Frau als verwertbaren Objekts aufs neue legitimierte.

Im Unterschied zu den traditionellen Gesellschaften aber, so konnte gezeigt werden, vermochte die Frau kontrollierend in den Macht- und Verwertungsprozeß einzugreifen, wenn sie bereit war, sich die herrschende Wirtschaftsgesinnung zunutze zu machen. Es spricht allerdings für die realistische Perspektive Sternheims, daß er einer solchen Emanzipationsmöglichkeit nur periphere Bedeutung beimaß. Noch einmal sei innerhalb dieses Problemkreises Simone de Beauvoir zitiert: „Das wirtschaftliche Privileg, das die Männer besitzen, ihre soziale Geltung, die Vorrangstellung der Ehefrau, der Nutzen männlicher Protektion, das alles bringt die Frauen dazu, daß sie sich glühend wünschen, den Männern zu gefallen. Im großen ganzen befinden sie sich noch im Zustand der Hörigkeit."[12]

Sternheims phänomenologischer Zugriff bewährt sich so auch bei der Gestaltung der Frau. Überall offenbaren sich ihm, sobald er die Oberfläche des ideologischen Scheins durchstoßen hat, die kapitalistischen Produktionsbedingungen mit ihren Machtstrategien und Verwertungsinteressen als tragende und wesentliche Basis einer inhumanen Gesellschaft, der mit menschenfreundlichen und hoffnungsvollen Utopien nicht mehr beizukommen war. Wie den Bürger so gestaltet Sternheim die Frau ebenfalls als Negativbild, um einen Erkenntnisprozeß zu provozieren, der allein eine Veränderung unmenschlicher Praxis in Aussicht stellen kann. Auch in gelegentlichen theoretischen Äußerungen läßt Sternheim eine solche Negativform des Frauenbildes durchblicken: „Am infamsten, wie der allgemeine Verzicht, selbständig sein und fühlen zu wollen, der Frau äußere Erscheinung in Grund und Boden gerammelt hatte. Jede war zu einer der Nachbarin aus demselben Milieu gleichenden Larve erstarrt und fertiggepinselt, ..."[13] Noch deutlicher formuliert er anschließend: „... das Weib wie alles übrige war eine dem krüden Zugriff der Durchschnittslüsternheit gefügige Ware, die sich der Anspruchsvolle gern versagte, geworden."[14]

IV. VERSCHLEIERUNG UND DEMASKIERUNG: ZUR FUNKTION VON DIALOG UND MONOLOG IN DEN KOMÖDIEN

Besitz- und Machtdenken als konstituierende Faktoren der Personengestaltung in den Komödien und die aus solcher Gestaltung resultierende personale Konstellation schließen den klassischen Dialog des traditionellen Dramas aus. Im konventionstreuen Dialog von Lessing bis weit ins 19. Jahrhundert hinein stehen sich streng aufeinander bezogene Partner als Verkörperungen ideeller Gegensätze gegenüber. Formen suggestiver Einflußnahme auf den anderen sind verpönt. „Selbst wer um persönliche Neigung oder Vertrauen wirbt," führt Gerhard Bauer in seiner *Poetik des Dialogs* aus, „darf den anderen dazu nicht nötigen, muß vielmehr seine freie Zustimmung oder Ablehnung abwarten."[1] Als überzeugendes Beispiel einer solchen liberalen Auffassung führt Bauer eine Stelle aus Lessings *Miß Sara Sampson* an. Dort entgegnet Waitwell der Sara auf ihren Einwurf hin, daß er sie überredet habe: „Aber nein, Miß, meine Reden haben dabei nichts gethan, als daß sie Ihnen Zeit gelassen, selbst nachzudenken."[2] Die Vorherrschaft einer weitgehend idealistischen Weltorientierung und der Glaube an die Autonomie der sittlichen Persönlichkeit formen den konventionskonformen klassischen Dialog.

Soziologisch betrachtet, entspricht einer solchen Dialoggestaltung die realgeschichtliche politische Einflußlosigkeit des Bürgertums, das sich angesichts der eigenen unterlegenen Position mit idealistischen Konstrukten begnügte. Arnold Hauser merkt zur Aufklärungsbewegung an: „... die Lebenshaltung der kulturtragenden Schichten verbürgerlicht sich, ihre Denk- und Erlebnisformen werden rationalisiert und revolutioniert, es entsteht ein neuer Typus des geistigen Menschen, der innerlich ungebunden, das heißt von Traditionen und Konventionen frei ist, ohne daß er auf die politisch-soziale Wirklichkeit einen entsprechenden Einfluß üben könnte oder oft auch nur wollte."[3] Auf solche Lebenshaltung gründet sich der klassische Dialog, der bereits bei Lessing seine optimistischen Grundlagen verrät. In einer Zeit florierender kapitalistischer Wirtschaftsgesinnung, in der das materielle Interesse unübersehbar den Platz des moralischen Bewußtseins eingenommen hat, und der Glaube an die Autonomie der sittlichen Persönlichkeit der Gewißheit der Abhängigkeit vom Produktions- und Kapitalprozeß gewichen ist, muß eine solche Dialoggestaltung den verfälschenden Charakter der Lebenslüge annehmen. Sternheim setzt den konventionskonformen Dialog daher gelegentlich zu parodistischen Zwecken ein. In *Tabula rasa* stehen sich der Kommunist Sturm und der Sozialdemokrat Artur Flocke gegenüber:

> Artur: Wir haben begründete Aussicht, ein prachtvolles Ziel durchzusetzen, schaffen wir den Verantwortlichen ein klares Hirn für ihre Entscheidung. Unser akuter Wille ist: Die Bücherei. Von Prinzipien sehen wir für den Augenblick ab.
> Sturm: Den Teufel tun wir. Ihr Lesekränzchen ist ein Bierulk, eine Lokalposse. Wir anderen stehen zehn Stockwerk höher. Haben die Eisenstange im Räderwerk und heben den ganzen freibeuterischen Mechanismus aus dem Gewinde.
> Artur: Ihr utopisches Geschwafel ist heutzutage Verbrechen. Wir marschieren, Proletarier, festen Schritts zur Vereinigung, Verbrüderung mit dem gesamten europäischen Bürgertum, Weltpolitik zu machen.
> Sturm: Wir springen euch elenden, geldvergifteten Spießbürgern an die Gurgel, wir — Proletarier![4]

Die Zuversicht, die Herrschenden letztlich rational von der Notwendigkeit sozialer Gerechtigkeit überzeugen zu können, und das revolutionäre Pathos des Klassenkampfes formen als ideelle Gegensätze den Dialog. Gemeinsam ist beiden Vertretern die ausgesprochen visionäre Blickrichtung, die mit dogmatischer Verve vorgetragen wird. Sowohl der Sozialdemokrat als auch der Kommunist vertrauen auf die verändernde Kraft des Wortes, ein Vertrauen, das den klassischen Dialog vornehmlich auszeichnete. Dem ideologischen Entwurf mit dem Ziel der Weltverbesserung wird eindeutig größere Bedeutung beigemessen als den materiellen Bedingungen, die offenbar nicht einmal in ihrer herrschenden Komplexität gesehen werden. Die sprachlichen Entgleisungen zusammen mit der Diffamierung des Partners signalisieren aber bereits die Ferne vom klassischen Dialog. Dadurch daß der Partnerbezug nur in diffamierender Perspektive erscheint und die Gesprächsteilnehmer immer wieder zu programmatischen Monologisierungen neigen, hebt sich die Ausgewogenheit der konventionellen Dialogsituation von selbst auf. Der Höhepunkt der unfreiwilligen Komik ist erreicht, als Flocke Sturms Worte als utopisches Geschwafel kennzeichnet und gleichzeitig mit seinen eigenen Worten darlegt, wie sehr er selbst schon ein Opfer illusionärer Hoffnungen geworden ist. Die parodistische Anwendung des klassischen Dialogs enthüllt die Ohnmacht der Utopie gegenüber der materiellen Alleinherrschaft des Kapitals. Vorherrschend in Sternheims Bürgerkomödien ist eine andere Dialogform, die mit den klassischen Beschreibungskriterien nicht mehr zu erfassen ist. Sie tritt modellartig bereits in der *Hose* entgegen. Dort setzt sich Theobald mit Mandelstam, einem seiner künftigen Mieter auseinander:

Theobald: Denken Sie: fünfzehn Taler ohne.
Mandelstam: Ich verstehe nicht.
Theobald: Ohne Kaffee.... Mir ist Geldgier fremd, des Mieters Person fällt nicht weniger schwer als Gold in die Waagschale, aber — Sie sind Barbier, Herr?
Mandelstam: Mandelstam.
Theobald: ... Zur Sache: Sie waren bereit, fünf Taler für das kleinere Zimmer zu geben?
Mandelstam: Mit Kaffee.
Theobald: Nun ist einer da, der beide Räume für fünfzehn Taler brauchen kann. Ich mache folgendes Manöver: verwandle mich in Herrn Mandelstam, stelle an Sie, Herr Maske, die Frage, was wollen, dürfen Sie in eigenem, im Interesse Ihrer Familie tun?
Mandelstam: Ihr Kalkül, sehe ich, liegt bei dem anderen, doch habe ich Ihre Zusage, baue auf Ihr Manneswort...
Theobald: Freund, wohin? kann ich, Sohn des Volkes, das einen Schiller gebar, abtrünnig sein?
Mandelstam: Lieben Sie ihn?
Theobald: Ich bin natürlich kein Kenner.
Mandelstam: Wagner, nicht Schiller ist der Mann unserer Zeit.
Theobald: Ihnen den letzten Zweifel zu nehmen, nenne ich den Namen: Luther
Mandelstam: Gut.[5]

Vermietungsgespräche dieser Art durchziehen das gesamte Schauspiel und münden jeweils ein in den vollen materiellen Erfolg Theobalds. Der vorliegende Dialogauszug fungiert als einleitendes Gespräch zur Wahrnehmung der durchaus eigennützigen Interessen des Vermieters. Auffällig ist zunächst das Schwanken Theobalds zwischen Sachbezogenheit und scheinbaren Ablenkungsmanövern. Der klaren Nennung des Preises zusammen mit dem Hinweis auf zusätzliche Gegenleistungen folgt die idealistisch eingefärbte Beteuerung des Vermieters, seine Entscheidung nicht von der Geldgier, sondern vielmehr vom persönlichen Wert des Mieters abhängig zu machen. Dem schließt sich wiederum eine klare auf die Sache bezogene Argumentation an, die jedoch erneut in Bekenntnissen zu berühmten Persönlichkeiten abgleitet. Erst darauf erfolgt die Zustimmung des potentiellen Mieters, der sich bisher mißtrauisch gebärdet hatte. Primär ist das Interesse Theobalds, die zu vermietenden Zimmer zum Höchstpreis an den Mann zu bringen, ohne jedoch den Eindruck zu erwecken, von materiellen Gesichtspunkten geleitet zu sein. Der Hinweis auf den persönlichen Wert des Mieters und auf die berühmten Persönlichkeiten sind in diesem Rahmen Teile einer umfassenden Strategie, die darauf abzielt, die tatsächliche Ware-Geld-Beziehung so weit wie möglich in den Hintergrund treten zu lassen. Insofern erfolgt auf die erste Nennung des überhöhten Mietpreises, nachdem der Mieter seinem Unverständnis Ausdruck gegeben hat, auch das Scheinbekenntnis zu idealistischen Maximen. Die einzige Funktion eines solchen Bekenntnisses besteht darin, den Mieter in Vertrauen zu wiegen und in ihm keinen Verdacht auf Profitjägerei aufkommen zu lassen. Nach diesem Ablenkungsmanöver glaubt Theobald sein Gegenüber im Griff zu haben und kehrt zur Sache, d. h. zum Mietpreis, zurück. Nun versucht aber auch Mandelstam zusätzlichen Profit herauszuschlagen, so daß sich Theobald genötigt sieht, den Mietpreis durch den Hinweis auf einen weiteren Interessenten zu steigern. Besondere Aufmerksamkeit verdient in diesem Zusammenhang der fingierte Rollentausch Theobalds. Nicht sein Interesse, so beteuert er scheinheilig, stehe im Vordergrund, sondern das Interesse seiner Familie. Eigennützige Absichten werden so als gemeinnützige ausgegeben. Dadurch daß er eine solche Argumentation auf dem Wege des Rollentausches Mandelstam selbst in den Mund legt, leistet er wichtigste Vorarbeit im Hinblick auf die letztliche Überrumpelung des Mieters. Doch Mandelstam gibt sich noch nicht geschlagen. Er weist auf das ihm gegebene Versprechen hin und bringt damit selbst eine idealistische Argumentation ins Spiel, der Theobald, will er nicht unglaubwürdig erscheinen, nicht ausweichen kann. Folgerichtig bekennt er sich daher auch in pathetischem Ton zu Schiller, dem Kronzeugen des Idealismus überhaupt. Wenn er auch mit diesem Namen nicht Mandelstams Geschmack trifft, so gelingt es ihm nun doch, sein Gegenüber in der idealistischen Scheinwelt festzuhalten, die schon immer der beste Nährboden für Geschäfte gewesen ist. Der Hinweis auf Luther tut sein übriges, Mandelstams ohnehin schwindendes Mißtrauen zu überwinden und ihn zur Zustimmung zu bewegen. Theobald versteht es, Mandelstams Schwäche für das „Höhere“ auszunutzen, indem er sich scheinbar mit dessen Vorstellungswelt identifiziert.

Das vorliegende Gespräch zielt mit seiner eindeutig strategischen Strukturierung auf die Realisation des Tauschwerts ab, der hier von den zu vermietenden Zimmern dargestellt wird. Damit nähert sich der Dialog dem Verkaufsgespräch zwischen Käufer und Verkäufer. Haug führt zum Verkaufsgespräch aus: „Die Charaktermaske des Verkäufers zeigt schmeichlerische Ergebenheit und Zuvorkommenheit ... Er wirft dem Käufer in seinem Verhalten ständig ein unterwürfiges und dabei die für seinen Stadpunkt funktionalen Regungen des Käufers bestärkendes Spiegelbild zurück."[6] Sternheim verwandelt den klassischen Dialog in das Verkaufsgespräch. An die Stelle autonomer Kommunikationspartner treten die Charaktermasken des Käufers und Verkäufers, der ideelle Gegensatz weicht der materiellen Absicht der Tauschwertrealisation, und die argumentativ-rationale Distanz wird durch die Techniken suggestiver Einflußnahme auf den anderen korrumpiert. Die konsequente Anwendung des Verwertungsstandpunktes, dem Käufer und Verkäufer unterworfen sind, spiegelt die Situation eines absolut gesetzten Kapitalmarktes. Eine grundsätzliche Kluft tut sich auf zwischen den Partnern, die in der Inadäquanz von Tausch- und Gebrauchswert begründet ist. Treffend merkt Bauer zu der Partnerbeziehung im modernen Drama an: „Die Vorstellung vom anderen als einer Beute, ohne die man nicht leben kann, ist in der Moderne stark ausgebildet. Mit dieser Vorstellung wird das Selbständigkeitsideal des klassischen Gesprächs abgewiesen [...]"[7]

Das Schwanken Theobalds zwischen offener Dokumentation des materiellen Interesses und idealistischer Scheinargumentation erweist sich auf der einen Seite als korrigierbedürftige Fehleinschätzung des Mißtrauensgrades seines Gegenübers und zwingt ihn zu immer neuen Scheingefechten, auf der anderen Seite aber bilden gerade diese zu Neuansätzen führenden Fehleinschätzungen eine Chance für den Zuschauer, die rein taktische Struktur des Gesprächs zu erkennen und damit auch das Ausmaß der zugrundeliegenden Verschleierungen.

Die fortschreitende Vermarktung des Lebens macht, wie bereits gezeigt werden konnte, auch vor dem Menschen selbst nicht halt, der bedenkenlos in die Warenzirkulation miteinbezogen wird. Dies bildet sich deutlich ab in der Dialoggestaltung des zweiten Schauspiels innerhalb der Maske-Tetralogie. Das Kernstück ist die Verbindung des reichen Bürgertums mit dem verarmten Adel. Graf Palen und seine Tochter Marianne sind beeindruckt von der luxuriösen Lebensgestaltung des Bourgeois und wittern eine Chance zur Wahrnehmung eigener Interessen. Bevor Christian den Heiratsantrag stellt, ist zwischen Vater und Tochter bereits die Zustimmung vereinbart.

Christian: Graf Augustus von Palen, ich bitte Sie um die Hand Ihrer Tochter Marianne.
Graf: Da Sie den Antrag so bündig stellen, haben Sie ihn nach jeder Richtung hin reiflich erwogen.
Christian: So reiflich, Graf, wie Sie mit Ihrer Tochter die Antwort.
Graf: Nicht doch. Ich kenne die Entscheidung der Komtesse nicht unbedingt.
Christian: Wie lautet sie bedingt? Verzeihung, erst Ihre eigene Meinung.
Graf: Ich selbst bin gegen die Verbindung. Doch wird meine Ansicht nur gehört und bleibt ohne entscheidenden Einfluß. Haben Sie mit meiner Zustimmung gerechnet?
Christian: Ich fühlte Ihre starken Widerstände.
Graf: Sie bewundernd, mußte ich mich doch fortgesetzt stärker zu Ihnen distanzieren. Die Komtesse dagegen scheint, der Wahrheit die Ehre, einigermaßen von Ihnen emballiert.
Christian: Soll ich meine äußeren Umstände näher auseinandersetzen?
Graf: Ich kenne Ihre Laufbahn aus eigener Anschauung, alle überraschenden Erfolge finanzieller und gesellschaftlicher Art. Von Ihrer Zukunft bin ich überzeugt.
Christian: Gab mein Charakter Grund zu Bedenken?
Graf: Er gab keine Angriffsfläche.
Christian: Darf ich fragen?
Graf: Ganz offen: Standesvorurteile.[8]

Bedenkt man, daß die Entscheidung durch das Intervenieren des Grafen bei seiner Tochter bereits gefallen ist und dem Grafen auf Grund seiner wirtschaftlichen Situation auch gar keine andere Entscheidung offensteht, und zieht man überdies in Betracht, daß Christian sich seines Erfolgs wegen seiner beneidenswert sicheren Vermögenslage durchaus sicher sein kann, so mutet der Dialog wie ein Scheingefecht an, dessen Funktion zunächst unklar bleibt. Verantwortlich für diese Unklarheit ist die Verschleierung der eigentlichen Interessenlage. Auch in Christian und dem Grafen stehen sich die Charaktermasken des Käufers und Verkäufers gegenüber. Marianne nimmt den Platz der Ware ein, deren Gebrauchswert es Christian gegenüber zu steigern gilt, um den Tauschwert, d. h. in diesem Zusammenhang das Macht- und Besitzangebot des reichen Bürgers, optimal zu realisieren. Graf Palen bedient sich dazu der Vortäuschung der eigenen Interesselosigkeit an der von Christian angestrebten Verbindung. Je überzeugender es ihm gelingt, seine scheinhaften Widerstände aufzubauen, desto begehrenswerter wird für Christian der Gebrauchswert einer Heirat mit der adligen Tochter, und desto stärker wird er motiviert, den höchstmöglichen Tauschwert einzusetzen.

Die Kunst des Dialogs in seiner Funktion als Verkaufsgespräch besteht darin, die eigenen materiellen Interessen so zu verschleiern, daß die mannigfachen Verschleierungen dennoch funktional bezogen bleiben auf die Optimierung des Profitinteresses. Graf Palen beherrscht eine solche Technik der Gesprächsführung vorbildlich. Er schmeichelt seinem Gegenüber durch den Hinweis auf die Bewunderung von Vorzügen und mildert dadurch geschickt den Schroffheitsgrad seiner Ablehnung ab. Gerade das bürgerliche Selbstbewußtsein bildete im gesellschaftlichen Umschichtungsprozeß der wilhelminischen Zeit eine schwache Stelle. Insofern können Schmeicheleien der vorliegenden Art wesentlich zur Motivation des in der Käuferrolle befindlichen Christian beitragen. Auf keinen Fall darf ja der Käufer zu entschieden zurückgestoßen werden, wie auf der anderen Seite auch jede spontane Versicherung der Wohlfeilheit der Ware vermieden werden muß. Im Sinne der Ausbalancierung seiner Ablehnung versichert der Graf Christian der Zuneigung seiner Tochter und läßt gleichzeitig durchblicken, daß er auf Grund der finanziellen und gesellschaftlichen Erfolge des Emporkömmlings selbst nicht abgeneigt ist, seinem Drängen nachzugeben. So ist das vorliegende Gespräch mit dem Dialogauszug aus der *Hose* durchaus vergleichbar, denn hier wie dort läßt sich eine geschickte Balancierung zwischen offener Dokumentation des eigentlichen Interesses und seiner behutsamen Verschleierung erkennen.

Im Vergleich mit dem Grafen unterlaufen Christian, der noch am Anfang seiner Laufbahn steht, einige Schnitzer. So spricht er offen den Tatbestand an, daß die Entscheidung zwischen Vater und Tochter bereits gefallen ist. Der Graf reagiert auf diese offensichtliche Durchbrechung üblicher Normen mit dem verlogenen Hinweis auf die emanzipierte Entscheidungsfähigkeit seiner Tochter. Gleich darauf begeht Christian einen zweiten Fauxpas, indem er die vage Formulierung „nicht unbedingt" konkretisiert mit der Frage nach den tatsächlichen Bedingungen. Er erkennt jedoch wohl unmittelbar, daß er dadurch den eigentlichen Geschäftscharakter des Gesprächs zu deutlich akzentuiert und entschuldigt sich. Die anschließende Bitte um die Meinung des Grafen fügt sich darauf wieder ein in die Strategie des Scheingefechts, denn damit wird vorgetäuscht, daß es tatsächlich noch eine freie Entscheidung gebe, während die ökonomisch ungünstige Situation Palens bereits alles entschieden hat. Der Graf nutzt die hingeworfene Chance, indem er die Zuneigung seiner Tochter zu Christian als Grund dafür angibt, warum er seine eigene scheinbar negative Stellungnahme nicht zum Tragen kommen lassen möchte. Eine solche Kapitulation vor der

Sprache des Herzens wirkt nobel und ist bestens dazu angetan, die ökonomischen Interessen dekorativ zu drapieren.

Persönliche und kulturelle Werte, die im Gespräch zwischen Theobald und Mandelstam entgegentraten, sowie Gefühlswerte dienen letztlich nur noch als Köder und als Kaschierungen für das in einer kapitalistischen Wirtschaftsordnung fundamentale materielle Verwertungsinteresse. Kaschierungen dieser Art erweisen sich als unabdinglich, da das Hervortreten des blanken Egoismus die eigenen Profitchancen erheblich vermindern könnte. Der traditionelle Idealismus erhält seinen Stellenwert in der funktionalen Ästhetik der Kapitalwelt dadurch, daß er die unverhohlene Habgier kosmetisch verpackt.

In Sternheims Dramaturgie dient der Dialog in erster Linie als Appell an den Zuschauer, die scheinhafte Phänomenwelt zu durchschauen und zur eigentlichen Wesenserhellung vorzustoßen. Der Zuschauer ist in der Regel bereits auf die materiellen Interessen der Hauptakteure eingestellt. Dies gilt auch für den vorliegenden Dialog, dem ein Gespräch zwischen Palen und seiner Tochter vorausgegangen war, in dem man sich eindeutig zu den eigenen ökonomischen Absichten bekannt hatte. Ebenfalls können für den Zuschauer kaum Zweifel bestehen an der materiellen Orientierung Theobalds, bevor er die Gespräche mit seinen künftigen Mietern führt. Insofern sind die zentralen Dialogpartien in Sternheims Komödien nicht handlungsfördernd, wie es die klassische Konzeption vorsieht, sondern in erster Linie von heuristischem Wert im Hinblick auf die Erkenntns der Zeit, deren Repräsentanten die Akteure sind. Ihre an den Zuschauer adressierte Wirkung erhalten sie dadurch, daß mit diesen Dialogen eine Scheinwelt aufgebaut wird, zu deren wesenhafter Entschlüsselung und Demaskierung der aufmerksame Zuschauer entsprechend vorbereitet wird. Solche Vorbereitung geschieht sowohl auf dem Wege der Vorausinformation als auch durch die momentanen Entgleisungen der Dialogpartner. In diesem Licht müssen die Normverfehlungen Christians gesehen werden, die von appellativer Bedeutung für den Zuschauer sind. Durch die Anwendung der phänomenologischen Methode erreicht Sternheim gerade in der Dialoggestaltung eine Öffnung des Bühnengeschehens zum Publikum hin.

Zwischen Verschleierung und Demaskierung bewegen sich auch die meisten Dialoge außerhalb der Maske-Tetralogie. Als Beispiel sei hier das Gespräch in der *Kassette* nach der Rückkehr des Ehepaars Krull von der Hochzeitsreise angeführt. Bereits vorher ist der Zuschauer von der Existenz der Kassette unterrichtet worden, die die eigentliche materielle Interessenlage der Hauptakteure signalisiert. Krull bemüht sich jedoch zunächst durch ein Übermaß an Herzlichkeit darum, die karge materielle Wirklichkeit zu überspielen, aber desillusionierend wirft bereits hier die Tante ein: „Du bist nicht rasiert."[9] Krull versucht daraufhin durch die verbale Fiktion einer Gemeinsamkeit im Rahmen der Konversation[10] die Besitz- und Machtkonflikte zu verdecken, indem er in eine pseudopoetische Schilderung der Reise ausweicht. Aber nun erfolgen Schlag auf Schlag die desillusionierenden Äußerungen der Tante: „Mit diesen Mätzchen, Lurley, Walporzheimer muß die Reise Geld verschlungen haben."[11] etwas weiter: „Dein Konto schloß Ultimo März mit einem Saldo von zweihundertsechsundsiebzig Mark zugunsten der Bank."[12] unmittelbar darauf: „Von geborgtem Geld mag ich nichts geschenkt."[13] und schließlich: „Auch die von mir entliehenen zwölfhundert Mark müssen an mich zurück."[14] Die demaskierende Durchbrechung des Konversationstons führt zu einem Quasi-Dialog, da die Erbtante das Antwort- und Beurteilungsrecht usurpiert. „Mißachtung des Gesprächs", schreibt Geißner, „ist allemal Ausdruck von Dogmatismus und/oder menschenverachtender Selbstgewißheit, letztlich von Herrschaft."[15] Die Selbstgewißheit der Tante gründet sich auf das Bewußtsein der materiellen Vorherrschaft in der Familie, denn sie allein verfügt über erhebliche Kapitalwerte, die eine Verschleierung ihrer eigenen Interessen überflüssig machen. Der Gebrauchswert der in der Kassette verschlossenen Wertpapiere ist so offensichtlich, daß jede Tarnung auf der Seite der Tante entfallen kann. Hier liegt ein wesentlicher Unterschied zu den vorausgegangenen, bereits analysierten Dialogen. Sowohl der Gebrauchswert der Zimmer als auch derjenige der adligen Tochter mußten ja erst im Rahmen des Verkaufsgesprächs ins Bewußtsein der Interessenten gehoben werden. Die *Kassette* stellt mit ihrer in die Dialoge integrierten Dialektik von Verschleierung und Demaskierung eine Intensivierung des intendierten Appellcharakters dar. Der Schleier idealistischer Verbrämungen wird durchsichtiger und zerreißt schließlich unter dem Andrang desillusionierender Attacken. Im Zuge einer radikalen Wesensschau der Zeitphänomene entwickelt Sternheim das verhüllende Verkaufsgespräch zur schonungslosen Selbstentblößung einer vom Kapital besessenen Welt und ihrer Repräsentanten.

Eine vergleichbare Intensivierung des Appellcharakters tritt in den Komödien auch immer dann auf, wenn sich zwei nahezu ebenbürtige Gesprächspartner gegenüberstehen. Als Beispiel sei hier die zentrale Auseinandersetzung zwischen Christian und seiner Tochter Sofie im Schauspiel *1913* angeführt. Beide nehmen fast gleichrangige Positionen im Produktionsprozeß ein, so daß der Dialog zwischen ihnen von vornherein den Charakter eines latenten Streitgesprächs annimmt. Christians anfängliche Versuche Sofie durch den Hinweis auf einen möglichen Konsumentenstreik aus der Bahn zu werfen, verfangen nicht. Im Gegenteil, Christian droht durch seine Strategie der Verschleierung des eigentlichen Machtkonflikts seiner Tochter gegenüber ins Hintertreffen zu geraten. Sofie kontert, indem sie auf den angeschlagenen Gesundheitszustand des Vaters hinweist und ihn mehr oder weniger fühlen läßt, daß sie ihn für inkompetent hält. Genau an dieser Stelle läßt auch Christian seine Maske fallen und nimmt den angetragenen Machtkampf auf. Sein egoistisches Bekenntnis zur alleinigen unumschränkten Machtausübung, das seine einführenden Worte Lügen straft, mündet ein in die triumphierenden Worte: „Wo bist du, daß ich dich mit meinem Sieg zertrümmere!" Sofie hat die Bühne, die sich unversehens in eine Arena verwandelt hatte, als vorläufig Geschlagene bereits verlassen. Neben dem Durchbrechen des Konversationstons durch die Usurpation des Beurteilungsrechts stellt das Umkippen des verhüllenden Dialogs in das offene Streitgespräch eine weitere Möglichkeit dar, den ideologischen Schleier über den materiellen Interessen zu zerreißen. In beiden Fällen wird dem Zuschauer die Chance geboten, das Wesen seiner Zeit ungeschminkt und unverstellt zu schauen. Die in den Dialog integrierte Demaskierung führt zur Evidenz materieller Interessenkonflikte.

Eine dritte Möglichkeit der unmittelbaren Wesenserkenntnis bilden die als Dialoge verkappten Monologe. Sie treten dort auf, wo der Handlungsmächtige sich weder einem Konkurrenzdruck ausgesetzt sieht, wie im letzten Beispiel, noch bemüht sein muß um die Realisation eines bestimmten Tauschwerts. Der Gesprächspartner ist in solchen Fällen ein vom Handlungsmächtigen Protegierter. Insofern entfallen sowohl die Spannung als auch Interessengegensätze irgendwelcher Art. Mukarovsky spricht hier vom Tatbestand „des im Dialog versteckten Monologischen", wobei „die Gespräche so eng aneinander anknüpfen, daß sie eigentlich einen zusammenhängenden monologischen Kontext bilden", da „die sich unterhaltenden Personen durch gemeinsames Interesse und Fühlen"[16] in hohem Maße verbunden sind. Als exemplarisch kann das Gespräch zwischen Christian und seiner Tochter Ottilie angeführt werden:

Christian: Als künftiger Chef von Christian Maske A.-G. kannst du von dir behaupten, was du magst ... Was hast du?

Ottilie: Ich denke über dein Wort nach.
Christian: Was gibt's da weiter?
Ottilie: Es macht mich schwindlig. Nicht unterdrücken, was man heimlich wünscht; nichts unterlassen?
Christian: Mädel, im Dunkeln, was denkst du?
Ottilie: Hier ist's zu hell dazu.
Christian: Sag mir's ins Ohr. Ich halte die Augen zu.
Ottilie: (flüstert ans Ohr des Vaters gelehnt).
Christian: Machttaumel! Menschen bewältigen — fressen. Recht so. Das ist Rasse!
Ottilie: (läuft zum Vorhang und versteckt sich darin).
Christian: (zieht sie hervor): Heraus! Ins Licht die Meinung.[17]

Der Demaskierungseffekt wird dadurch erreicht, daß Christian seine Tochter dazu bewegt, ihre innersten Antriebe, die in völligem Einklang mit seinen eigenen stehen, offen auszusprechen. Aber die Barrieren auf seiten Ottiliens bleiben weiterhin spürbar. Sie ist lediglich bereit, ihre Bekenntnisse zur Macht und Unterdrückung ihrem Vater ins Ohr zu flüstern, danach verbirgt sie sich schamhaft hinter dem Vorhang. Offenbar sind die Restbestände einer idealistischen Gesinnung, wie sie sich vorher in ihrer Begeisterung für Bücher und auch später in ihrer Hinwendung zu den utopischen Ansichten Kreys äußert, noch zu stark, um sich unverhohlen zu den materiellen Interessen ihres Vaters zu bekennen. Dennoch wird wiederum klar, daß die idealistischen Vorbehalte lediglich eine dünne ideologische Schicht bilden, die jederzeit von dem Kernbewußtsein des Machtwillens durchbrochen werden kann, wenn ein entsprechender Impuls von außen erfolgt. Bei Christian ist die Stufe längst erreicht, auf der das materielle Interesse das moralische Bewußtsein usurpiert hat. Nur deshalb kann Ottilie auch im intimen Zwiegespräch mit ihm zur Selbsterkenntnis gelangen. Während sich die Akteure bisher nur gegenseitig zu täuschen versuchten, stellt Ottilie den Menschentyp dar, der in der Selbsttäuschung über das eigene Innere befangen ist. Sternheim will nun aber keineswegs der Negation des Menschen schlechthin das Wort reden, seine Intention geht vielmehr dahin zu zeigen, daß der ununterbrochene Einfluß des Kapitals und des damit verbundenen Machtdenkens auf den Menschen der wilhelminischen Ära selbst den menschlichen Wesenskern zu korrumpieren vermag.

Dialoge der vorliegenden Art markieren, wie bereits bemerkt, den Übergang zum monologischen Sprechen. Es verwundert daher nicht, wenn Sternheim besonders in der *Kassette* und im *Bürger Schippel* im Zuge einer radikalen Entblößung bürgerlicher Mentalität auch den

Monolog selbst in verstärktem Maße in seine Demaskierungsintentionen miteinbezieht. Während der klassische Monolog vergleichsweise vielfältige Funktionen erfüllte, ermöglicht er bei Sternheim ausschließlich „Einblicke in die Seele des Sprechenden, verrät geheimste Gemütsbewegungen"[18] und gibt damit dem Zuschauer ein weiteres wichtiges Instrument in die Hand, die Verschleierungen im Dialog zu enthüllen. In der *Kassette* setzt der erste große Monolog am Anfang des dritten Aufzugs ein. Krull hat bei seinen heimlichen Nachforschungen den Entwurf des Testaments der Tante entdeckt und zwischen der Euphorie über die zu vererbende Summe von 140 000 Mark und der prozentualen Berechnung der Kapitalzinsen stößt er hervor: „Gott, du siehst mein Herz."[19] Im Kontext der Verfallenheit an das Kapital, die im Rahmen des Monologs offen hervorbricht, signalisiert ein solcher Ausruf den Grad der Perversion sowohl des Sprechenden als auch der klassischen Monologfunktion. Nicht tiefgreifende Gemütsbewegungen und komplizierte innere Bewegungen wie beispielsweise in den Monologen im *Hamlet* oder in Goethes *Iphigenie* kommen hier zum Ausdruck, sondern lediglich flaches materielles Interesse als ausschließliches Leitbild des Handelnden. Der Hinweis auf Gott und das eigene Herz muß in diesem Zusammenhang wie eine Parodie klassischer Monologe wirken.

Ähnlich parodistisch ist auch der Monolog im siebten Auftritt des vierten Aufzugs angelegt. Nach der Versicherung: „Doch ich schwöre mit der Kraft meiner Seele . . .", die auch in einem konventionskonformen Stück stehen könnte, folgt die bereits zitierte Äußerung: „Aus einer Vergangenheit von dreißig Jahren in künstlicher Demut wuchs Wille, Menschen zu meiner Wollust auszubeuten."[20] Die Ankündigung künftiger Taten darf auf Grund der Vagheit der Aussage nicht allzu ernstgenommen werden. Entscheidend ist in erster Linie die Offenbarung der materiellen Basisgesinnung. „Wer monologisiert," schreibt auch Pütz, „hat nicht immer die Fäden in der Hand. Er muß nicht Pläne und Entschlüsse kundtun, sondern kann eine passive Haltung zeigen . . ."[21]

Das Kundtun des leitenden ökonomischen Interesses hat seine hauptsächliche Funktion im Hinblick auf die kritische Mitgestaltung des Publikums, das nun in der Lage ist, die mannigfachen Verschleierungen bürgerlicher Ideologisierungen selbsttätig zu durchschauen. So haben auch Sternheims Komödien durchaus teil „an jener Bewegung im Theater unseres Jahrhunderts, die — in immer neuen Ansätzen — das Publikum in den theatralischen Vorgang einzubeziehen trachtet, . . ."[22] Die offene Dramaturgie führt zur Emanzipation des Zuschauers, indem der Monolog funktional im Sinne der Demaskierung auf den Dialog bezogen wird.

Einen breiten Raum nehmen die Monologe auch im *Bürger Schippel* ein. Die parodistischen Elemente sind hier dem ausschließlich platten Selbstbekenntnis zum materiellen Wohlstand gewichen. Im Wohnzimmer Hicketiers bricht es aus Schippel heraus: „Ich wittre mich. Wollust nach der ich dreißig Jahre gehungert."[23] Weitere monologische Ausmalungen des handgreiflich nahegerückten Wohlstands münden dann schließlich ein in den Schlußsatz: „Du bist Bürger, Paul."[24] So ist sich Schippel am Ende selbst zum Dialogpartner geworden: Ein überzeugender Beleg für den selbstgenügsamen bürgerlichen Egoismus.

Auch die Monologe im Bürger Schippel haben Schlüsselfunktion im Hinblick auf die Entlarvung der im Dialog noch mühsam getarnten materiellen Interessen. Der Monolog stellt in Sternheims Komödien das radikalste und wohl auch publikumsbezogenste Mittel zur Demaskierung bürgerlicher Ideologien dar. Bereits in der Maske-Tetralogie ließ sich eine kontinuierliche Entwicklung zur Radikalisierung der Demaskierungsabsicht erkennen. Waren die Verkaufsgespräche Theobalds noch vergleichsweise geschickt und für den Interessenten relativ undurchsichtig angelegt, so ließen sich im *Snob* bereits bewußt eingebaute Entgleisungen erkennen, plausibel gemacht durch die Tatsache, daß Christian noch am Anfang seiner Laufbahn steht. Im Schauspiel *1913* treten die materiellen Interessen der Hauptakteure in der Form des Streitgesprächs und des als Dialog verkappten Monologs ganz offen zutage. Die unerheblich früher geschriebenen Komödien *Die Kassette* und *Bürger Schippel* enthalten dann eine nochmalige Steigerung zum Monolog. So läßt sich in Sternheims Bürgerkomödien eine fast stetige Entwicklung zur größeren Transparenz bürgerlicher Ideologisierungsversuche verfolgen. Letztlich verantwortlich für eine solche Tendenz ist Sternheims erklärte Absicht, den Zuschauer ganz im Sinne der phänomenologischen Methode zur Wesenserkenntnis der eigenen Zeit zu führen. Erst wenn sich dem Zuschauer die wesenhaften Züge einer der possessiven Verdinglichung verfallenen Periode erschließen, kann er seine Umwelt selbsttätig seinem negierenden Urteil unterwerfen und auf diesem Wege erste Schritte zu seiner eigenen Emanzipation einleiten.

Dramaturgisch greift Sternheim zur Verwirklichung dieser Absichten zu dem in seiner Zeit dominierenden ungebundenen Dialog, der weder den Glauben an die Autonomie der sittlichen Persönlichkeit und das Vertrauen auf die verändernde Kraft des Wortes gestaltet noch einen wesentlichen Impuls zur Weiterführung der Handlung darstellt. Fundamentale Geschiedenheit der Partner auf Grund polarer Interessenspannung, suggestives Eindringen auf den anderen und stationäre Zähflüssigkeit sind seine Kennzeichen. Peter Szondi spricht im Zusammenhang mit seiner Diskussion des modernen Dramas von einer Wandlung des Dialogs zur Konversation: „Der dramatische Dialog ist in jeder seiner Repliken unwiderruflich, folgenträchtig. Als Kausalreihe konstituiert er eine eigene Zeit und hebt sich so aus dem Zeitablauf heraus. Daher die Absolutheit des Dramas. Anders die Konversation. Sie hat keinen subjektiven Ursprung und kein objektives Ziel: sie führt nicht weiter, geht in keine Tat über."[25]

Bezogen auf Sternheim, den Szondi allerdings nicht berücksichtigt, trifft diese Feststellung nur bedingt zu. Zwar führt auch der Sternheimsche Dialog nicht weiter im Sinne der Konstitution einer Kausalreihe, insofern ist die Bezeichnung ungebundener Dialog durchaus am Platz, aber der Begriff der Konversation mit ihrer rein hypothetischen Setzung einer Gemeinsamkeit dürfte kaum als ausreichend anzusehen sein. Auch bei Sternheim tritt die für das moderne Drama konstitutive Isolation des Menschen entgegen, die Szondi treffend in der Unverbindlichkeit der Konversation gespiegelt findet, aber primär sind der Dialog und der funktional auf ihn bezogene Monolog in Sternheims Komödien Instrumente der epochalen Wesenserschließung, d. h. der Demaskierung materieller Interessen. In der Dialektik von Verschleierung und Demaskierung besteht die fundamentale Funktion der dramatischen Rede bei Sternheim.

V. DIE THEATRALISCHE PRÄSENTATION: ZUR PROBLEMATIK DER GESTALTUNG VON HANDLUNG, ZEIT UND RAUM

Dem ersten flüchtigen Blick auf die Komposition des Handlungsgefüges und die Gestaltung von Zeit und Raum in Sternheims Bürgerkomödien bietet sich das Bild weitgehender Konventionskonformität. Diesen Eindruck bestätigt auch Peter Haida in seiner Untersuchung der Komödien um 1900: „Sternheims Komödien sind in ihrer Form bemerkenswert traditionell. Meistens drei- oder fünfaktig gebaut, weisen sie die Merkmale herkömmlicher Dramentechnik auf. Eine Situation wird exponiert, aus ihr entfaltet sich die Handlung, es gibt Gegenhandlungen und Intrigen und am Ende als Ergebnis einen Schluß, der jeweils die Position des Protagonisten stabilisiert.“[1]

Einem zweiten kritischen Blick zeigt sich aber schon sehr bald, daß auch hier wie in der Dialoggestaltung die Dialektik von Verschleierung und Demaskierung am Werk ist. Die Handlung des herkömmlichen Dramas ist im wesentlichen ideenbezogen. Man denke in diesem Zusammenhang nur an das Ideal der Humanität in Goethes *Iphigenie.* Die Ideenbezogenheit führt zur Konstitution des geschlossenen Dramentyps mit der Kontinuität der Haupthandlung und der Beschneidung der äußeren Aktion. Ziegler führt zum geschlossenen Drama aus: „In allen formalen Einzelelementen dieses dramatischen Stiltyps gelangt die Realität wesenhaft als Realisierung einer Idee, eines ideellen Geltungs- und Bedeutungszusammenhangs zur Darstellung.“[2]

Als eigentliches Form- und Strukturzentrum des konventionskonformen Dramas bietet sich also die Realisierung einer Idee dar. Nun läßt sich allerdings kaum ein größerer Gegensatz zwischen einer solchen ideenvermittelten Dramenkonzeption und der vorherrschenden materiellen Gesinnung in den Bürgerkomödien Sternheims denken. Die Realisierung einer Idee weicht bei Sternheim der Materialisierung des bürgerlichen Egoismus. Siegt in *Iphigenie* das Ideal der Humanität, so feiert in den Bürgerkomödien das Macht- und Besitzdenken bourgeoiser Emporkömmlinge Triumphe. Die Kontinuität der Verwirklichung des ideellen Anspruchs schlägt um in die Kontinuität des unaufhaltsamen kapitalbedingten Aufstiegs zur eigennützigen Machtausübung.

Betrachtet man wie Haida das Handlungsgefüge rein formal und oberflächlich, so gelangt man in der Tat zu der Erkenntnis einer Handlungskontinuität, aber diese Erkenntnis bleibt solange folgenlos, und dies ist der Fall in der erwähnten Monographie, bis man nicht die inhaltliche Realisierung einer genauen Überprüfung unterzieht. Erst dann fällt einem die allmähliche Aushöhlung und Pervertierung konventionskonformer Merkmalkonstellationen auf.

Alle die hier in die nähere Betrachtung einbezogenen Komödien werden kompositionell zusammengehalten durch den Macht- und Geltungswillen eines zentralen Ich. Ob Proletarier, Klein- oder Großbürger, sämtlich sind sie bis zur Selbstaufgabe integriert in den kapitalistisch vorgezeichneten Machtprozeß, der die dramatische Handlung erst konstituiert. In diesem Zeichen steht bereits die Exposition. Sie dient bei Sternheim in erster Linie der Dokumentation des phänomenologischen Umschlags im Bewußtsein der Hauptakteure, indem sie die Profitchancen signalisiert und das zentrale Ich darum bemüht zeigt, diese Chancen kalkulierend zu nutzen. Das Schauspiel *1913* bildet insofern eine Ausnahme, als der Hauptakteur bereits den Gipfel seiner Macht erreicht hat. Die Signalisierung einer Aufstiegschance kann daher nicht das handlungsauslösende Moment sein, vielmehr liegt es hier in der Bedrohung der erlangten Machtposition.

Expositionsvarianten gestalten auch *Die Kassette* und der *Bürger Schippel.* In beiden Komödien steht zunächst nicht das zentrale Ich im Mittelpunkt, wie z. B. in der *Hose* oder im *Snob,* sondern die Kennzeichnung der günstigen Ausgangsposition für den aufstiegsbegierigen Hauptakteur. In allen Fällen erfüllt die Exposition bei Sternheim lediglich die rein formale Aufgabe der Handlungsauslösung, substantiell stellt sie allerdings die Pervertierung der klassischen Exposition dar, die sich ja gerade dadurch auszeichnete, daß sie eine ideelle Bewegung in Gang setzte. Aus den Ideen sind bei Sternheim jedoch Ideologien geworden, die, wie bei der Dialoggestaltung bereits analysiert, als Schleier über die materiellen Interessen gebreitet werden.

So ließe sich letztlich auch die scheinbar konventionskonforme Dramaturgie als ideologischer Rahmen deuten, dem die Hauptakteure auf Grund ihrer ausgesprochen antiideellen Gesinnung vergebens versuchen gerecht zu werden und somit eine Diskrepanz zwischen äußerem Rahmen und innerer Füllung verkörpern. Eine solche Diskrepanz muß notwendig zur negierenden Verurteilung der handelnden Personen durch die Zuschauer führen.

Insofern ist auch Haida nicht zuzustimmen, wenn er behauptet, es gäbe in Sternheims Komödien so etwas wie Handlung und Gegenhandlung, etwa im Sinne des klassischen Dramas, wo die Aufspaltung in Spiel und Gegenspiel im Duell profilierter Gegner ihren Niederschlag findet. Bereits bei der Analyse des Komödienpersonals ist es hinreichend deutlich geworden, daß ein echtes Duell zwischen Protagonisten und Antagonisten gar nicht zustandekommen kann, da die Gleichrangigkeit und die Offenheit unter den Duellanten nicht gewahrt sind. In allen herangezogenen Komödien gibt es jeweils einen absolut Situationsmächtigen, von dessen geschicktem Einsatz suggestiver und machtpolitischer Mittel es abhängt, ob er sein Ziel erreicht. Keinesfalls liegt es aber im Bereich des Möglichen, den Situationsmächtigen im Rededuell zu überzeugen, da dieser von vornherein für jede ideelle Argumentation unzugänglich ist. Der Sieg des Situationsmächtigen ist in der Exposition angelegt und steht von Anfang an unverrückbar fest. Konstitutiv für die dramatische Spannung ist daher auch nicht die intellektuelle Auseinandersetzung von Spieler und Gegenspieler, sondern die Dialektik von Verschleierung und Demaskierung in der Strategie des Hauptakteurs.

Indem Sternheim seine bürgerlichen Helden in den äußeren Rahmen konventionskonformer Dramaturgie hineinorganisiert, simuliert er den Eindruck des klassischen Dramas. Bei fortschreitender Transparenz der materiellen Gesinnung entsteht allerdings notwendig das Bewußtsein einer dissonantischen Brechung, die zur Verfremdung des formalen Rahmens führt. Auf diesem Wege werden Reminiszenzen an den klassischen Menschentyp als oberflächlich und scheinhaft entlarvt, so daß der Erwartungshorizont des Zuschauers ironisch destruiert wird.

Ein solches Verfahren ist der Brechtschen Verfremdungstechnik nicht unähnlich. Insbesondere ist hier auf die Oper *Aufstieg und Fall der Stadt Mahagonny* von 1928/29 hinzuweisen, wo die negative Utopie der kapitalistischen Gesellschaft im konventionskonformen Rahmen der Oper ihre Darstellung findet, so daß das Unvernünftige sich formal und substantiell aufhebt. Ähnlich Sternheim, der den kapitalistischen Egoismus und Ehrgeiz im Gewand klassischer Handlungsdramaturgie einhergehen läßt und dadurch beide Seiten ad absurdum führt. Die „Maske wird als Maske dargestellt und so als Marke entlarvt."[3]

In diesem Zusammenhang müssen auch die Komödienausgänge gesehen werden. Es fällt auf, daß der Handlungsmächtige am Ende jeweils triumphiert oder zumindest sich in dem Glauben wiegt, den Sieg davongetragen zu haben. Ganz eindeutig ist dies der Fall in den ersten beiden Stücken der Maske-Tetralogie. Der in der Exposition bereits angelegte Triumph des hemmungslosen Egoisten ist unter Zuhilfenahme ideologischer Scheinmanöver am Ende vollkommen. Auch damit bewegt sich Sternheim äußerlich im Rahmen herkömmlicher Dramaturgie, sofern man diese auf die Komödientheorie bezieht, denn unabänderliches Wesensmerkmal des Komödienschlusses ist es, daß er „die Norm schließlich in ihren vollen Rechten bestätigt."[4]

Doch bei näherem Zusehen stellen sich hier ebenfalls äußerste Bedenken ein, denn was sich als sogenannte Norm stabilisiert, ist nichts anderes als die machtgierige materielle Gesinnung des Hauptakteurs. Die Norm in ihrer äußersten Pervertierung im Vergleich mit der konventionskonformen Dramatik triumphiert demnach. So führt auch Haida zutreffend aus: „Der Autor scheint das gattungsgesetzliche Formelement des positiven Schlusses beizubehalten, aber er verwendet es ganz ironisch."[5] Die Verkehrung herkömmlicher Gattungsgesetzlichkeiten greift jedoch noch tiefer. Konstitutiv für die Komödienhandlung ist die unverrückbare Existenz einer Norm, die nach der Darstellung mannigfacher Abweichungen und Verzerrungen in der Haupthandlung am Ende doch wieder den Sieg davonträgt. So werden die Verzerrungen einer ideellen Norm in der *Minna von Barnhelm* oder in Kleists *Der zerbrochene Krug,* um nur die prominentesten Beispiele anzuführen, jeweils rückgängig gemacht.

Bei Sternheim dagegen triumphiert die materielle Norm vom Anfang bis zum Ende. Abweichungen erscheinen höchstens in gewissen Nebenfiguren, deren Ideenverbundenheit aber von vornherein als realitätsfremde Verblasenheit parodiert wird. Der Zweierrhythmus von Normverfehlung und Restitution der Norm in der herkömmlichen Komödie weicht bei Sternheim der Eindimensionalität der Pervertierung ideeller Normerwartungen. So entsteht der Eindruck der Totalität materieller Orientierungsschemata. Die gelegentlichen Bekenntnisse zu ideellen Positionen, vorgetragen von Figuren wie Scarron, Mandelstam, Krey und Ago Bohna, erhalten in ihrer untergeordneten Rolle den Charakter episodischer Hanswurstiaden. Diese Personen haben neben ihrer unzweifelhaft komischen Wirkung die Aufgabe, die Übermächtigkeit der Hauptakteure kontrastierend zu unterstreichen. Insofern sind sie voll integriert in die Kontinuität der eigentlichen Haupthandlung, die bestimmt wird von der Realisierung der pervertierten Norm. Da, wie auch schon Haida ausführt, „die Negativität der die Oberhand behaltenden Partei offenkundig ist“[6], ergeht ganz im Sinne der dialektischen Intentionen Sternheims an den Zuschauer die Aufforderung, die Abweichungen und Verzerrungen der Norm rückgängig zu machen. Die Komödienausgänge gestalten in diesem Sinne nicht länger eine im künstlerischen Raum vorweggenommene Versöhnung mit der Norm, sondern provozieren die Einsicht in die Notwendigkeit einer Normerstellung mit dem Ziel der Überwindung ausschließlich materieller Orientierungsschemata.

Die traditionelle Komödie erfüllte die gesellschaftlich wichtige Aufgabe, sich angesichts der Normverzerrungen von den eigenen geheimen Wünschen lachend zu befreien, so daß man sich am Ende beim Sieg der von der Gesellschaft akzeptierten Norm zur Solidarisierung mit den geltenden moralischen Anforderungen bereitfinden konnte. Die Komödie des herkömmlichen Typs ist daher durchaus gesellschaftskonform. „Als man Goethe einmal zur Schöpfung einer Komödie anregen wollte“, schreibt Fritz Strich, „da sagte er, es fehle den Deutschen zur Möglichkeit der Komödie an einer Gesellschaft, wie sie die Romanen haben ... Belachenswert ist danach offenbar, was der Gesellschaft widerstrebt und ihr gefährlich ist, ...“[7]

Bei Sternheim bildet nun gerade der scheinbar positive Schluß den Anlaß, eine Gesellschaft, die monomanisch dem Zwang des Kapitals unterliegt, radikal in Frage zu stellen. Nicht Solidarisierung, sondern Distanzierung ist die Intention der Bürgerkomödien Sternheims. In der *Kassette* und in *1913* erreicht Sternheim eine didaktische Intensivierung dieser Absicht, indem für den Zuschauer der abschließende Triumph des Hauptakteurs ironisch relativiert wird. Für den Zuschauer ist es völlig klar, daß der Oberlehrer Krull einer Einbildung nachjagt, denn das Geld, dessen er sich auf dem Wege der Erbschaft sicher glaubt, ist bereits im letzten Auftritt des dritten Aufzugs der katholischen Kirche überschrieben worden.

Ähnlich desillusionierend auf den Zuschauer muß der Tod Christians am Ende des Schauspiels *1913* wirken, denn was nützt ein Sieg, wenn dieser den Tod des Siegers bedingt. Man wird der Sternheimschen Komödie nur dann gerecht, wenn man sie in ihrer intendierten fragmentarischen Struktur erkennt. Was auf der Bühne dargestellt wird, ist die Sequenz fortgesetzter Normverzerrungen, die im Schluß, grotesk überhöht, kulminieren. So nur kann der dringliche Appell an den Zuschauer ergehen, die Komödienstruktur zu komplettieren, indem er das Dargestellte als Abweichung von der Norm begreift und versucht, die verlorengegangene Norm im eigenen Leben wiederherzustellen. Bühnenwirklichkeit und Lebenswirklichkeit sind streng aufeinander bezogen. Wie die fragmentarische Komödie nur durch die kritische Einsicht heilgemacht, d. h. gattungsgesetzlich abgerundet werden kann, so kann die dem Kapitalismus verfallene kranke Gesellschaft nur durch die schonungslose Selbstbesinnung der in ihr Lebenden wieder geheilt werden.

Der Materialisierung der Handlung entspricht die Ermächtigung der Gegenwart in der Behandlung der Zeit. Zur Zeitgestaltung im klassischen Dramentyp führt Volker Klotz aus: „Der Augenblick hat keine Eigenmacht, er ist vorwegbestimmt durch ständig aktualisierte Vorgeschichte und teleologisch geprägt durch die starke Spannung dem Ende entgegen. Diese Überbelastung durch Rückwärts- und Vorwärtsbezüge, die immer wieder zu Wort kommen, nimmt dem Augenblick die eigene besondere Zeitqualität."[8] Gerade dieses Moment der Entgegenwärtigung kommt der Gestaltung des ideellen Anspruchs entgegen.

Im Gegensatz dazu zeigt Sternheim seine Gestalten als Gefangene in Raum und Zeit. Die einmal erreichte Sekurität des Lebens und der einmal gewonnene Besitz sowie die damit verbundene Etablierung einer Machtposition verlangen nach Stabilisierung. Im Bewußtsein, auf dem Gipfel der Verwirklichung der eigenen materiellen Interessen zu stehen, wächst das Bedürfnis, den Augenblick festzuhalten, ihn gleichsam einzufrieren. Der wohlhabende Bürger bekennt sich entschieden zu der Rolle, die der Goethesche Faust bei seinem Pakt mit dem Teufel zurückweist, weil sie zur Versklavung des Menschlichen führen muß:

> Werd' ich zum Augenblicke sagen:
> Verweile doch! du bist so schön!
> Dann magst du mich in Fesseln schlagen,
> Dann will ich gern zugrunde gehn![9]

Letztlich ist es also das Besitz- und Machtdenken, das den Menschen in Ketten schlägt; ein Vorgang, den Sternheim folgerichtig durch die Verabsolutierung bürgerlicher Gegenwart artikuliert.

In diesem Sinne konkretisiert sich für Theobald Maske die Zeit ausschließlich im Rahmen der eigenen Lebenserwartung: „Ist bequem nicht recht! Mein Leben währet siebzig Jahre. Auf dem Boden des mir angelernten Bewußtseins kann ich manches in diesem Zeitraum auf meine Weise genießen."[10] Das Beharren auf dem eigenen Lebensanspruch führt zur Liquidation von Vergangenheit und Zukunft. Reminiszenzen erscheinen in dieser Perspektive lediglich als unliebsame Erinnerungen an die überwundene Dürftigkeit äußerer Lebensumstände, und Prognosen beziehen sich, wenn sie überhaupt auftauchen, ausschließlich auf die materielle Vermehrung des einmal Erreichten. Zentraler Bezugspunkt ist in jedem Falle die genüßlich ausgekostete Gegenwart.

Ein überzeugendes Beispiel für die Ermächtigung gegenwärtiger Wirklichkeit bietet auch Christian Maske, der so einmal mehr zum würdigen Nachfolger seines Vaters heranwächst. Seiner Geliebten Sybil gegenüber äußert er: „Unsere Beziehungen im Vergangenen sind durch meine wirtschaftliche Gebundenheit in ihrem largen Charakter erklärt. Für die Zukunft hätte ich solche Begründung vor mir selbst nicht mehr. Den nötigen Glauben an die Wirklichkeit meiner neuen Stellung zu haben, muß sich mit ihr alles um mich entsprechend ändern."[11] Der materiell-ökonomische Aspekt bestimmt das Zeitbewußtsein des Emporkömmlings. Menschliche und ideelle Gesichtspunkte spielen bei der Bewertung der Vergangenheit keine Rolle. Was zählt, ist einzig und allein der Ausbau gegenwärtiger Macht. Vergangenes wird wie eine unliebsame, wenn auch notwendige Hypothek getilgt und verliert jeden weiteren Einfluß. Bestand im klassischen Drama eine zeitliche Kontinuität, so weist Christian ausdrücklich auf den Bruch zwischen Vergangenheit und Zukunft hin. Brennpunkt des Interesses ist auch hier der Glaube an die profitbringende Wirklichkeit, den er bezeichnenderweise am Ende seiner Ausführungen ausspricht. In der Verabsolutierung der Gegenwart spiegelt sich die selbstgenügsame Immanenz des Kapitals.

Selbst scheinbare Abweichungen von dem beschriebenen Zeitbewußtsein führen letztlich wieder zurück zur Ermächtigung des Augenblicks. In dem bekannten Streitgesprächen zwischen Christian und Sofie in *1913* scheint es zunächst so, als ob Christian überraschenderweise zukünftige Konsequenzen seines Handelns zu reflektieren anfinge. Als aber seine gegenwärtige Machtposition unter den Attacken seiner Tochter zu wanken beginnt, schwenkt er, ohne zu zögern, zur Gegenwart zurück: „Was ich aber soeben anvertraut, ist verwandtschaftliches Geheimnis, mehr schon Kunde aus dem Jenseits. Aus Gründen der Repräsentanz fordere ich für mein irdisches Leben, du schenkst den Befehlen des Generalchefs unserer Häuser in Zukunft mehr Aufmerksamkeit als letzthin."[12] Die Gegenwart ist der ausschließliche Rahmen für die Verteidigung und Etablierung der eigenen Machtposition. Hinweise auf die Zukunft, wie die Andeutungen möglicher Konsequenzen aus dem eigenen Handeln, sind höchstens dazu angetan, die erlangte Machtstellung zu gefährden. Insofern werden zukünftige Perspektiven von vornherein unterdrückt oder im Konfliktfall radikal revidiert.

Das gleiche gilt, wie bereits angedeutet, für die Vergangenheit. So äußert Fanny in der *Kassette:* „Das liegt weit zurück. Vergangenheit hat wenig Wert."[13] Für die Komödienfiguren Sternheims ist die Zeitqualität des Jetzt von absoluter Relevanz. Alles andere erscheint ihnen peripher, überflüssig, ja gefährdend. Traditionelle und historische Werte werden nur noch dekorativ eingesetzt, um den ideologischen Schein zu erhöhen. In der Tat bedeutete die Industrialisierung um die Jahrhundertwende mit ihrem Katalysator des Kapitals einen radikalen Bruch mit der Vergangenheit. Eine in die Gegenwart verbissene bürgerliche Generation, den Gesetzen des Kalküls und des wirtschaftlichen Expansionszwanges unterworfen, setzte die historischen Orientierungen außer Kurs, denn die Vergangenheit konnte den neuen Machthabern nur als eine Periode fortgesetzter Unterdrückungen bürgerlicher Aktivitäten erscheinen; gleichzeitig verlor man damit aber auch die Zukunft als die Summe der Resultate gegenwärtiger Entscheidungen und Handlungen aus dem Auge und steuerte blindlings in unvermeidliche Katastrophen hinein. „Wir leben in einer Zeit rapid und radikal schwindenden Geschichtsbewußtseins."[14] Diese Feststellung Klaus Günther Justs in seiner Literaturgeschichte *Von der Gründerzeit bis zur Gegenwart* trifft den Kern eines Prozesses, der mit der ökonomisch vermittelten Machtübernahme durch den Bürger um die Jahrhundertwende aufs engste verbunden ist, und den Sternheim am Zeitbewußtsein seiner Komödienfigurationen immer aufs neue demonstriert. Nicht von ungefähr läßt Sternheim seine Komödien um 1900 spielen und weist bereits mit Titeln wie *1913* auf die Zeitbezogenheit seines Schaffens hin. Für das Lustspiel *Der Nebbich* genügt schon die Angabe einer einzigen Rahmenbedingung, die so typisierende Funktion erhält, nämlich die Anmerkung, daß das Stück in der „Gegenwart" spiele. Die Zeit fungiert in den Komödien nicht nur als historischer Rahmen und als Bezugspunkt der Kritik, darüberhinaus spiegelt sich in ihrer Reduktion auf die Gegenwart die Verkümmerung humaner Lebensdimensionen.

Geleitet von der Konzentration auf die Gegenwart, hat Sternheim in der zeitlichen Gesamtanlage der Maske-Tetralogie selbst ironischerweise Zeugnis abgelegt für das schwindende Geschichtsbewußtsein. Der durch die Generationsfolge bedingte zeitliche Abstand von Theobald bis zu seinen Enkeln in *1913* wird in der Zeitdarbietung des

Stücks keinesfalls gewahrt. Ja, es treten offene Widersprüche auf. So heißt es in der *Hose,* zu einem Zeitpunkt, als Christian noch nicht geboren ist:

> Theobald: Ich war, was Bismarck tat, gespannt.
> Scarron: Der ist lange tot.[15]

In chronologischem Widerspruch dazu äußert der 70jährige Christian in *1913:* „Mit Bismarck habe ich um Fetzen gerauft, daß die Funken stoben."[16] Der oberflächlichen Betrachtung mögen sich darin Flüchtigkeiten und Überarbeitungsmängel zeigen, da aber die gesamte Maske-Tetralogie achronologisch angelegt ist und selbst im Rahmen der Generationenfolge immer nur die Gegenwart um 1900 ins Spiel gebracht wird, müssen auch die zeitlichen Unstimmigkeiten als Zeugnis aufgefaßt werden für das schwindende Geschichtsbewußtsein einer der Gegenwart verfallenen Zeit. Für den Bürger ist die Zeit in der Tat stehengeblieben, und in diesem Stillstand der Zeit, zu dem er sich immer wieder bekennt, spiegelt sich sein sehnlichster Wunsch nach der Wahrung seines Besitzstandes. „Es schlägt sechs", seufzt der Erzphilister Theobald erleichtert auf, „wenn es wie seit dreitausend Jahren sechs ist."[17]

An eben dieser Stelle erklärt Theobald, der Stammvater eines dem Besitz- und Machtdenken verfallenen Geschlechts in Sternheims Komödien: „Hat man seine Stübchen. Da ist einem alles bekannt, nacheinander hinzugekommen, lieb und wert geworden."[18] Der Gefangenschaft in der Zeit entspricht die Einkerkerung im Raum. Nur in den eigenen vier Wänden vermag sich der Bürger, der sich hemmungslos den materiellen Lebensbedingungen verschrieben hat, seine Orientierung zu erhalten. Der geschichtslos gewordene Raum schrumpft zusammen zu des Bürgers guten Stube, in deren Abgeschirmtheit sich der bürgerliche Egoismus ungestraft entfalten kann.[19]

Der Verzicht auf die geschichtliche Dimension führt notwendig zur räumlichen Einengung, die symptomatisch ist für die materielle Eindimensionalität des Menschen im Rahmen kapitalistischer Wirtschaftsgesinnung. Daher erklärt sich auch der Tatbestand, daß allein vier der herangezogenen Komödien für die gesamte Spieldauer das gleiche Bühnenbild beibehalten. In der *Hose* ist es Maskes Wohnstube, in *1913* die Bibliothek auf Schloß Buchow, in der *Kassette* Krulls bürgerliches Wohnzimmer und in *Tabula rasa* die bürgerliche Wohnstube Ständers. Das Drama *Das Fossil* führt den Wohnsitz derer von Beeskow als einziges Bühnenbild vor. Lediglich im *Snob* und im *Bürger Schippel* werden drei deutlich voneinander getrennte Schauplätze verwendet.

Im *Snob* ist das Bühnenbild zeichenhaft verbunden mit dem Aufstieg des Hauptakteurs. Das möblierte Zimmer als erster Schauplatz des Geschehens verweist auf die vergleichsweise bescheidene Ausgangsposition Christians und knüpft noch an an die Mietwohnung des Vaters in der vorausgegangenen Komödie. Bereits im zweiten Aufzug befindet sich der Zuschauer im eigenen Salon des sozial Aufgestiegenen, und die luxuriöse Wohnumgebung verfehlt nicht ihre werbende Wirkung auf die Eintretenden. Marianne äußert sich anerkennend: „Glück, mit solchen Dingen leben zu dürfen.“[20] An der räumlichen Ausstattung ist der soziale Erfolg ablesbar. Das Bühnenbild erhält von daher die Funktion eines Rangsignals, denn der Mensch im Rahmen der geltenden Wirtschaftsgesinnung erhält seinen Wert erst auf Grund des vorzuweisenden Besitzes. Getreu den Grundsätzen der Gründermentalität steht daher auch der Salon im Vordergrund, denn alles „ist auf das Gesellschaftliche zugeschnitten: auf das Sehen und Gesehenwerden.“[21] Der Salon gewinnt den werbenden Charakter der Ausstellung, und auf Grund der eindimensionalen Verengung des Menschlichen ist man nur allzu schnell bereit, den ausgestellten Besitz als Surrogat an die Stelle der ausgehöhlten geistigen Wertgebungen zu setzen. Das abschließende Bühnenbild führt wiederum in einen Salon, diesmal im Rahmen eines Hotels, und signalisiert damit die Ausweitung und bürgerliche Sanktionierung der Machtposition Christians, der nun voll integriert ist in die veräußerlichte Gründergesellschaft.

Im *Bürger Schippel* werden ebenfalls drei Bühnenbilder verwendet, die symbolisch auf die wechselnden Situationen der Titelfigur verweisen. Das bürgerliche Wohnzimmer Hicketiers, das die beiden ersten Aufzüge beherrscht, läßt Schippel im Vergleich erst den eigenen Mangel empfinden und in ihm den Wunsch entstehen, in respektierter Stellung an solchem ausgestellten Wohlstand teilzuhaben. Noch ist er allerdings nur ein auf Grund seiner Stimmbegabung geduldeter Gast, der auf Bestellung zu erscheinen und zu gehen hat. Deutlich spiegelt sich dieses Fernstehen vom bürgerlichen Wohlstand im Bühnenbild der beiden folgenden Aufzüge. Es zeigt den „Hofgarten von der Hinterfront des Hicketierschen Hauses, den rechts ein Zaun abschließt.“[22] Abgeschlossen und gleichzeitig den nicht Zugehörigen ausschließend bietet sich der bürgerliche Besitz dar. Der sich bezeichnenderweise von außen nähernde Schippel faßt sein Verlangen nach Teilhabe und sein

Bewußtsein des Draußenstehens in die Worte: „Wie sich das Haus breitspurig in die Welt pflanzt!"[23] Schritt für Schritt nähert er sich dem bürgerlichen Haus, das für ihn zum Sinnbild des ausschließlich angestrebten materiellen Glücks wird. Über den Hof bis zur Mauer, die er streichelt, dann die Leiter hinauf, so daß er in eins der geöffneten Fenster blicken kann, führt ihn sein Weg, der seinen Wunsch nach baldiger Teilhabe auch räumlich signalisiert. Am Ende wird er jedoch noch einmal gezwungen, durch die Zauntür ins Freie zu stürzen. Nach einer Phase der Beruhigung zeigt der fünfte Aufzug Schippel dann folgerichtig zu Beginn der Duellszene auf einer Waldlichtung, fernab von allen häuslichen Sicherungen, so daß er sich in die räumliche Geborgenheit zurücksehnt: „Ich will wieder flöten und singen gehen, bleibe auf Trinkgelder erpicht, aber abends im Bett kann ich meinen heilen Leib betasten ..." In bedrohlichem Gegensatz zu diesen Wunschvorstellungen steht jedoch die Realität: „Hat mich blinder Drang an den Platz geführt, der ausersehen war, mich ins Gras beißen zu sehn."[24] Der Raum gewinnt magische Bedeutung für den von materiellen Zielen beherrschten Menschen. Wie das Geborgenheitsgefühl abhängig ist von der engen Umgebung des Betts, so provoziert der nach allen Seiten geöffnete Naturraum Unsicherheit und Angst. Nicht zufällig wird der Platz, an dem Schippel in Erwartung des Duells steht, personifiziert.

In der Behandlung des Raums zeigt Sternheim an solchen Stellen eine gewisse Nähe zur offenen dramatischen Form. Volker Klotz führt aus: „Die Wand erhält so mehr als requisitenhaftes Gewicht. Sie wird zur Abschirmung des Draußen, des Fremden, zur letzten Wehr des eigenen Bereichs."[25] Eine solche Abgrenzung führt jedoch notwendig zur Fremdbestimmung des Menschen. Auch wird sichtbar, wie räumliche Begrenzung und Geschichtslosigkeit ineinandergreifen und den Menschen zum Opfer der eigenen materiellen Orientierung machen. Die Komödie vom Proletarier, der Bürger wird, geht ihrem Ende entgegen mit den versöhnenden Worten Hicketiers: „Ich habe Ihnen mit gehässiger Voreingenommenheit, bewußter Abneigung Ihrer Herkunft wegen den Eintritt in unsere Gezirke bisher verwehrt. Sie haben mich besiegt. Für meine Pflicht halte ich es auszusprechen, wie mich hinfort Ihr Umgang ehrt."[26] An der rahmengebenden Raumgestaltung ist der Weg des Hauptakteurs ablesbar. Dem als das kleinere Übel nur mühsam geduldeten Eintritt des Proletariers in die bürgerliche Welt am Anfang steht am Ende die höfliche Einladung des verbürgerlichten Schippel in das Haus gegenüber, zu dem er sich im Mittelteil noch in äußerster Entfernung befand.

Wie die Handlungs- und Zeitgestaltung, so läßt sich auch die Verwendung des Raums in Sternheims Komödien als Verzerrung der konventionskonformen Konzeption beschreiben. Während im klassischen Drama der Raum nur einen unselbständigen stilisierten Rahmen abgibt für den ideenvermittelten Prozeß, so gewinnt er in Sternheims Komödien eine das Bewußtsein der Akteure determinierende Eigenmacht und damit eine durchaus selbständige dramatische Aktivität. Die Abkehr von idealen Entwürfen des Menschseins im Zuge einer zeitkritischen Phänomenbeschreibung führt Sternheim angesichts der Dominanz kapitalistischer Wirtschaftsformen zur Materialisierung der theatralischen Präsentation.

Die Handlung als Dokumentation des am Materiellen orientierten sozialen Aufstiegs, der Verlust der geschichtlichen Dimension durch die Reduktion auf die dem Besitz- und Machtdenken verfallene Gegenwart und schließlich die Determinierung des Menschen durch die räumliche Umgebung gestalten insgesamt den ökonomisch versklavten Menschen, der dem negierenden Urteil des Zuschauers übergeben wird.

Erst das Hineinorganisieren seiner Figuren in die zeitlich-räumlichen Dimensionen des Gesellschaftsprozesses im wilhelminischen Zeitalter läßt Sternheim zu der frappierenden Diagnose seiner Zeit finden. „Nicht Prognose, sondern Diagnose," bestätigt auch Paul Rilla, „wenn am stolzen Körper dieser Bürgerwelt die Krankheitssymptome wahrgenommen werden, die den hoffnungslosen Zerfall ankündigen."[27]

VI. ZUR FUNKTION DES SPRECHSTILS IN DEN KOMÖDIEN

Über Sternheims spezifische Diktion ist viel geschrieben worden. Bereits die zeitgenössische Kritik rügte das Gedrechselte und Artifizielle des Stils und machte der eigenen Empörung nicht selten in diffamierenden Attacken Luft. Als Beispiel mögen hier die Ausführungen Albert Soergels, Autors einer populären Literaturgeschichte der Zeit, stehen: „Sternheim der Romanische, der keine innere Beziehung zur deutschen Sprache und Welt hat, ... drechselte ... seinen lateinischen Stil: einen Stil, der den Artikel wegläßt, Partizipien häuft, Genitive voran, das Subjekt dafür gern an das Ende stellt."[1]

In der Gegenwart bezieht besonders Sebald eine engagierte Affrontstellung gegen die Sprache Sternheims, indem er ihr Affinität zum Kitsch und einen im ganzen schizoiden Charakter bescheinigt.[2] Bei Johannes Schaaf, der *Die Kassette* Anfang 1974 in München inszenierte, führt die Kritik an der Sprache zu einem empfindlich einschränkenden Urteil über die Qualität des Stücks überhaupt: „Das Stück ist längst nicht so gut, wie ich ursprünglich fand; und zwar hat das mit Sprache zu tun. Diese Sprache ist willkürlich, gewaltsam, unmenschlich." Daraus resultiert sein Bemühen, „Sternheims Sprache menschlich zu machen."[3]

Daneben sind immer wieder Versuche unternommen worden, die Funktionalität des Sternheimschen Stils zu bestimmen. Sieht man einmal von den Gemeinplätzen bei Emrich und Wendler ab[4], so finden sich solche Versuche ausschließlich in der zeitgenössischen wilhelminischen Kritik. Ausgehend von Sternheims eigenen Ausführungen, nach denen der Sprachstil „nur Hauptsachen und durchaus keine Nebensachen mehr giebt"[5], schreibt Franz Blei: „Die Sprache wird auf den gespitztesten schärfsten Ausdruck gebracht, denn ihr kommt in der Definition die große Aufgabe zu: die Eindeutigkeit."[6] Die von Sternheim selbst herausgestellten und von Soergel noch einmal aufgeführten Stileigentümlichkeiten sind also funktional dem Stilprinzip der Klarheit zugeordnet. Nicht mehr und nicht weniger ist auch von Sternheim intendiert. Über die spezifischen Verwendungsmöglichkeiten eines solchen Definitionsstils, der affirmativ-schildernd oder kritisch-entlarvend eingesetzt werden kann, um nur einige Beispiele zu nennen, ist damit nichts ausgesagt. Gerade die kritisch-entlarvende Funktion eines solchen Stils hat Bernhard Diebold im Blick auf die Komödien betont, indem er von der „Demaskierung der Sprache“[7] bei Sternheim spricht. Diebold ist es aber auch, der über die in jeder Stiluntersuchung wiederkehrende Aufzählung der Elisionen und syntaktischen Umstellungen hinausgeht, indem er auf das Vorkommen verschiedener Stillebenen in Sternheims Komödien hinweist. Hier scheint ein Ansatz vorzuliegen, tiefer als bisher in die Intentionen des Sternheimschen Stils einzudringen. Gleich zu Beginn der ersten der Bürgerkomödien *Die Hose* tritt die Vermischung der Stilebenen entgegen:

> Theobald: Hm Hammelschlegel. Und gut gesalzen. Frau, Dämonen sind aus unserer Seele wirkend. Knechten wir sie nicht mit unseres Willens ganzer Gewalt — man sieht nicht ab, wie weit sie es bringen. Himbeeren mit Sahne ...[8]

Eingerahmt von trivialen alltäglichen Äußerungen, bietet sich eine künstlich hochgeschraubte Passage im Stil der Lebensphilosophie dar. Dabei dürften die Rahmenbemerkungen exakt den Standpunkt philiströser Behaglichkeit angeben, der für den Sprecher charakteristisch ist. Der Mittelteil stellt eine pseudophilosophische Selbststilisierung im Sinne einer Legitimation dar, denn hier geht es offenbar um das Bekenntnis zur absoluten Anpassung mit dem Ziel, alle den spießbürgerlichen Bereich gefährdenden Tendenzen abzuwehren. Quasiphilosophische Einsprengsel erfüllen die Funktion einer verbalen Kosmetik, die der im Kern vulgärmateriellen Orientierung scheinhaften Glanz verleihen soll. Die Heterogenität einer solchen Stilmontage ist offenbar und muß den Eindruck des Grotesken erwecken, wenn man das Groteske „in der unvorbereiteten Vermischung heterogener Bereiche“[9] sieht. Ein solcher Eindruck verstärkt sich noch, wenn man die Situation, aus der gesprochen wird, in Rechnung stellt. Die Banalität des Vorgangs, in deren Verlauf Frau Maske ihre Hose verloren hatte, steht in einem komischen Mißverhältnis zu dem vorliegenden verbalen Aufwand. Die groteske stilimmanente wie situative Diskrepanz aber weist wiederum auf die eigentliche Intention Sternheims hin, den Zuschauer vom theatralischen Prozeß zu distanzieren. In der grotesken Darbietungsform liegt die Chance, die Selbststilisierungsversuche des Bürgers als Tarnungsmanöver zu durchschauen und zur Erkenntnis der philiströsen Banalität seiner Lebensanschauung vorzustoßen.

Die Stilmontage wird zum appellativen Instrument der Demaskierung. „Mein Leben währet siebzig Jahre. Auf dem Boden des mir angelernten Bewußtseins kann ich manches in diesem Zeitraum auf meine Weise genießen."[10] Abrupt werden biblische Sprache und Kanzleistil konfrontiert. Dem ehrwürdig überhöhenden Hinweis auf die eigene Lebensdauer folgt unvorbereitet das Abgleiten in das trockene Bekenntnis zur banalen Behaglichkeit des Lebens. Das gründerzeitliche „Ideal der vornehmen Haltung"[11] wird angesichts der wachsenden Materialisierung des Lebens als eine Art Kompensation ständig angestrebt und gleichzeitig als unzureichende Tarnung entlarvt. Darin liegt der spezifische Ansatz des Sprechstils in den Komödien. Die Bürgerfigurationen sprechen keine eigene Sprache mehr. Im Sprachverlust kündigt sich das Maß der Entindividualisierung unter dem Andrang instrumentaler und possessiver Prioritäten an. Der drohenden Verflachung zum Typ versucht der Bürger kompensierend die Vielfalt überkommener Sprachmuster entgegenzustellen und verfehlt dabei die einzig überzeugende Kongruenz von Wort und Sache. Manieristische Virtuosität wird zum Ersatz für die offenbar nicht mehr mögliche Artikulation individueller Orientierung. Paul Ernst schreibt 1919 über die heutigen Deutschen: „... auch bei ihnen haben sich keine selbständigen Formen entwickelt: und hierin liegt die Ursache des Zusammenbruchs unseres klassischen Idealismus."[12]

Die industrielle und kapitalistische Expansion hatte die Ohnmacht ideeller Weltdeutung erwiesen, die nur noch als scheinerzeugendes Verpackungsmaterial verwertbar erschienen. Vor allem ging es zunächst darum, das gesamte Reservoir biblisch-religiöser, philosophischer, literarischer und historischer Reminiszenzen im Dienst einer überhöhenden Selbststilisierung zu mobilisieren. Solches Bemühen mußte sich vor allem stilistisch niederschlagen, denn der Bürger „braucht aus seiner Natur Symbole,"[13] wie Frau Hicketier über ihren Mann sagt. Mit nationaler Emphase schlägt der Fürst in die gleiche Kerbe: „Der Männergesangverein, eine wichtige, dem Volk am Herzen liegende Sache, ... muß dem Ansturm idealloser Zeit kräftig entgegengesetzt werden. Das deutsche Lied, meine Herren."[14]

In der ideell verklärenden Selbstüberhöhung liegt in der Tat eine Affinität zum Kitsch, nur übersieht Sebald dabei, daß die daraus resultierende kitschige Sprache im Sinne kritischer Entlarvung angewendet wird. Wie sehr gerade die verdinglichende ökonomische Realität im Bewußtsein des im traditionellen Geiste aufgewachsenen Bürgers einer geistig-ideellen Legitimation bedarf, beweist eine Stelle aus der *Kas-*

sette. Krull zitiert zunächst aus einer forstwirtschaftlichen Darstellung: „Die Forstwirtschaft in Staatswaldungen hat der Nutzung Nachhaltigkeit als obersten Grundsatz zu befolgen." Unmittelbar darauf folgt der Versuch der geistigen Überhöhung: „Ist das nicht glatt wie Kant als Basis, von grandioser Gegenwärtigkeit des Lebendigen wie Goethe?"[15] Der komische und zugleich entlarvende Effekt einer solchen Vermischung des gänzlich Disparaten ist offensichtlich. Es streift das Groteske, wenn der trockene Nominalstil der zitierten Darstellung Assoziationen an den Stil Goethes weckt. An Stellen wie der vorliegenden wächst sich das Maß der Selbststilisierung zum organisierten Selbstbetrug aus.

Nicht selten zeichnet sich der Bürger selbst als Held, indem er entweder zu einer martialischen Sprache greift oder sich auf dem Wege des Vergleichs in Beziehung setzt zu herausragenden historischen Persönlichkeiten. So äußert Christian vor der Hochzeitsnacht: „Meine Konterminen sind geladen. Losgeschossen, überdonnern sie alles, was vorher laut wurde."[16] Der arrivierte Industriekapitän Christian in *1913* vergleicht sich mit Napoleon: „Hast du die drei Minuten vor der Seele, die Barras Napoleon gab, mit der Übernahme des Armeekommandos sein Leben zu entscheiden?"[17] Der Bürger, konfrontiert mit seiner materiell determinierten Umwelt, umgibt sich mit trivialen Machtphantasien, wie sie auch heute noch in den Heldenfigurationen der Trivialliteratur auftauchen. Seine Sprache wird zum fortgesetzten Selbstbetrug, da er anders die Ernüchterung und die Absorption durch den anonymen Kapitalprozeß nicht aushalten kann. Die groteske Stilmontage wie die hyperbolischen Eigendarstellungen aber signalisieren deutlich, daß es sich hier um satirische Selbstcharakteristiken handelt, die die Demaskierung durch den Zuschauer provozieren. Johannes Schaaf hat durchaus recht, wenn er die Sprache Sternheims als unmenschlich bezeichnet. Sein Bemühen allerdings, sie menschlich zu machen, geht an den eigentlichen Intentionen vorbei, denn gerade der Verlust einer individuellen Sprache verweist auf den Verlust der menschlichen Qualität und degradiert die Komödienfiguren zu provozierenden Negativbildern des geistigen Menschen überhaupt.

Für die Mächtigen und Mindermächtigen in Sternheims Komödien ist es bezeichnend, daß sie ihre sprachlichen Konglomerate nicht nur im Zuge des Selbstbetrugs einsetzen, sondern sie darüberhinaus als Instrument benutzen, den Partner im Sinne der eigenen Interessen zu manipulieren bei gleichzeitiger Verschleierung dieser Interessenlage. So entsteht für Christian bei der Abfassung eines Briefs als Antwort auf eine Einladung das Problem, den Grafen nicht merken zu lassen, wie gern er kommt. Letztlich spitzt sich dieses Problem auf den durchaus komischen Tatbestand zu, daß ihm ein fünfsilbiges Wort fehlt, das die eigene Bedeutsamkeit genügend herausstreichen könnte. Als er endlich ein entsprechendes Wort gefunden hat, muß er erkennen, daß ihm der Brief unter der Hand zu einer Absage geworden ist. Die Diskrepanz von Wort und Sache führt auch hier zur komischen Entlarvung des Briefschreibers. Überwuchert von formalen Überlegungen im Dienste der Ideologieproduktion, entgleitet bezeichnenderweise der eigentlich menschliche Gehalt. Die Sprache beginnt den Menschen zu beherrschen.

Im gleichen Stück wird die Stilvermischung als persuasives Instrument auch im Dialog angewendet. Graf Palen sucht Christian auf, um ihn noch einmal zu prüfen, ob er für das Amt des Generaldirektors der Monambominen geeignet ist. Dabei geht es vor allem darum, sich der absoluten Loyalität des Emporkömmlings zugunsten der eigenen Interessen zu versichern. „Ich komme, die angeschnittene Frage Ihrer Ernennung persönlich noch einmal mit Ihnen durchzusprechen."[18] Das ist geschäftssprachlicher Klartext, zielgerichtet, ohne Umschweife und nur von der Sache diktiert. Nachdem der sachliche Rahmen aufgespannt ist, muß der Graf bestrebt sein, den kompetenten Manager der Gesellschaft zu verbinden, ohne daß dieser den durchaus zutreffenden Eindruck der Unentbehrlichkeit gewinnen könnte. „Wir glauben nun, in Ihnen den gefunden zu haben, der mit Tüchtigkeit die seltenere Gabe vereinigt, ein Empfinden für die durch Kult errungenen Werte des feineren Geschmacks zu besitzen, das insbesondere da am Platz ist, wo brutale Wahrheit der Zahlen ein bedeutendes Gegengewicht fordert."[19] Die karge Geschäftssprache weicht einem attributiv aufpolierten Komplimentierstil. Der reale Wortsinn bleibt durch die verwendeten begrifflichen Leerformeln verschwommen. Deutlich wird aber das Bemühen, die anstehende Ernennung als einen huldreichen Akt der Anerkennung charakterlicher Verdienste und als ideelles Werturteil erscheinen zu lassen, so daß das soziale Gefälle zwischen Adel und Bürger und der ideelle Wertmaßstab wenigstens dem Schein nach erhalten bleiben. Keinesfalls darf der Bürger den Eindruck gewinnen, daß seine geschäftliche Kompetenz der ausschlaggebende Gesichtspunkt für seine Ernennung ist, obwohl auch gerade dieser Gesichtspunkt im Blick auf die erwartete Leistung nicht unerwähnt bleiben darf. So wird zunächst eindeutig auf die Tüchtigkeit verwiesen, aber durch die nachfolgende Komparativform sofort wieder relativiert und eingeschränkt. Ebenso wird der Hinweis auf die „brutale Wahrheit der Zahlen", der den Profitkapitalismus umschreibt, ausbalanciert durch die Forderung eines Gegengewichts. Wiederum erscheint eindeutig Ökonomisch-Materielles geistigen Motiven untergeordnet, wobei die preisende Herausstellung traditioneller Momente den Charakter ideologischen Scheins sowohl im Hinblick auf die Köderung des Bürgers als auch auf die Wahrung eigener Machtansprüche annimmt. Christian bemüht sich in seiner Antwort ebenfalls um die als vornehm geltende Haltung der Verschleierung ausschließlich materieller Motive. Nachdem er die Nachahmung adliger Lebensweise als sein eigentliches Ziel angegeben hat, äußert er mit idealistischem Pathos: „Es steht mir nicht zu, aufzuzählen, welche Opfer ich diesem Ziel schon gebracht, doch bin ich bereit, Ihnen in die Hand zu schwören, mein irdisches Leben ist ihm einzig geweiht."[20] Der Graf ist restlos überzeugt, und Christian kann zur Schmucklosigkeit amtlicher Sprache zurückkehren. Er beschließt den Dialog seinerseits mit den Worten: „Auf dem Boden der Voraussetzung sonstiger Uniformität."[21] Die hochtrabende Diktion hat dem dürren Nominalstil wieder Platz gemacht. Überdeutlich tritt im vorliegenden Dialog das Mittel grotesker Stilmontage in Erscheinung. Neben der Diskrepanz von geschäftlicher und idealistischer Diktion ist es vor allem wieder der sich darin spiegelnde komische Gegensatz von ökonomisch motivierter Sprechsituation und dem Bemühen um Aufrechterhaltung des ideellen Scheins, der ins Auge springt. Nicht nur sich selbst, sondern auch den Partner führt man ständig in die Irre, und offenbar erwartet der Partner auch gar nichts anderes. Grundlegendes Prinzip der Kommunikation ist in der Tat das Ideal der vornehmen Haltung. Der groteske Effekt aber kann auf dem Wege der Provokation das Publikum zur Einsicht in die tatsächlichen Motive führen und so zur Emanzipation des Zuschauers beitragen.

Ein Virtuose sprachlicher Verstellunug ist Wilhelm Ständer, Mittelpunktsfigur in *Tabula rasa*. Seinem Dienstmädchen Bertha gegenüber beteuert er: „Ich bin Arbeiter wie du, simpler Glasbläser, und habe nicht das Recht, von anderen Dienste zu fordern."[22] Seinen eindeutigen Arbeitgeberstatus verschleiert er mit den Worten: „Was du an Entschädigungen von mir erhältst, wiegt deine Arbeit nicht auf. Folglich kann der Lohn nicht Veranlassung sein, aber – deine menschliche Tugend."[23] Im Stil der christlichen Arbeitervereine um die Jahrhundertwende, die ihre vornehmliche Aufgabe in der Förderung von Kirche und Familie sowie in der sozialen Hilfe der Arbeiterschaft durch Wohlfahrtseinrichtungen sahen und damit geschickt abgelenkt waren von der Veränderung der realpolitischen Macht- und Unterdrückungsverhältnisse, verweist Ständer auf das Tugendethos des arbeitenden Menschen. Materielles erscheint erneut eingebettet in geistig-ethische Zusammenhänge.

Unter der Maske des einfachen Arbeiters gelingt es Ständer, seine eindeutigen Profitinteressen im Verlauf des gesamten Stücks zum Erfolg zu führen. Als ihm kurz vor seinem geplanten Eintritt in den Ruhestand die Stelle eines Arbeitsdirektors angeboten wird, die ihn letztlich um den behaglichen Genuß seines finanziell abgesicherten Lebensabends bringen würde, beteuert er seinen Arbeitskollegen gegenüber: „Ich selbst, schlichter Art, schlichter Gewohnheit, auf allen Seiten des Lebens in schlichter Auffassung befangen, bin nichts, will und darf nichts sein als ein einfacher Arbeiter."[24]

Der groteske Effekt geht in *Tabula rasa* weniger auf den Kunstgriff der Stilmontage zurück, sondern auf die Heterogenität der sprachlichen Masken der Hauptfigur in unterschiedlichen Redesituationen. Entscheidend ist das Verhältnis Ständers zu seinem Partner. Immer dann, wenn sein Gegenüber nutzbringend für ihn ist, er also in einem vorläufigen Abhängigkeitsverhältnis zu ihm steht, spricht Ständer in der Maske des einfachen Arbeiters. Das bewußte Understatement befreit ihn von der Verpflichtung zur eindeutigen Stellungnahme und eröffnet ihm auf der anderen Seite die Möglichkeit zur Befriedigung seiner egoistischen Interessen. Sobald er sich jedoch unabhängig fühlt, tritt der wahre Ständer zutage. Für diesen Zusamenhang typisch sind die Belehrungen seines Mündels Isolde, die ihren zukünftigen Mann ganz ihren eigenen Interessen unterwerfen möchte. „Eben darum bieten Beethoven und Konsorten hundert Schlupfwinkel für deinesgleichen. Mehr Französisch, das er nicht versteht, und Schiller."[25] Kultur ist dem verbürgerlichten Arbeiter nur noch ein Arsenal persuasiver Techniken. Nicht auf das Verständnis kommt es an, sondern auf die Manipulation des anderen mit dem Ziel der Interessensicherung. Was sich hier verhältnismäßig früh im theatralischen Prozeß äußert, ist das Bekenntnis zur sprachlichen Maske, das dem Zuschauer seine ihm zugedachte Demaskierungsaufgabe erleichtern soll.

Überhaupt folgt der Gesamtaufbau von *Tabula rasa* dem vor allem im sprachlichen Bereich realisierten dialektischen Prinzip von Maskierung und Demaskierung. Nachdem Ständer, finanziell nach allen Seiten abgesichert, in den Ruhestand getreten ist, und damit einen hohen Grad an Unabhängigkeit erreicht hat, läßt er auch sprachlich die Maske fallen. Nicht länger spricht in schlichten Worten der einfache Arbeiter aus ihm, sondern sein erstaunliches Urteilsvermögen weist ihn als Kritiker utopischer Gedankengespinste und als Pragmatiker egoistischen Lebensgenusses zugleich aus. Nach Entlassung seines Dienstmädchens rechnet er mit dem Sozialdemokraten Artur Flocke ab: „Was aus deinem Munde kommt, hat die Absicht, der Erbärmlichkeit von überall her zum Sieg zu verhelfen. Christentum und Sozialismus, jeden ursprünglich heiligen Protest des Menschentums, zu einer geschmacklosen Bettelsuppe zu verdünnen."[26]

Dem Kommunisten Sturm hält er entgegen: „Aber am Ziel angekommen mit einer Menge, die für ihren Bürgerberuf durch tausend Kanäle schon vorgebildet, in Volksschulen, durch Zeitung, Kino und Theater bourgeoismäßig mit dem einzigen Begriff der Kapitalanhäufung und Verteidigung vergiftet ist, müssen deine und Flockes Massen unfehlbar die gleichen Götter wieder aufstellen, die ihr stürzt."[27] Und noch einmal rechtfertigt er sein Vorgehen von seinem jetzigen Standpunkt der Unabhängigkeit her: „Durch Sorge ums Brot wurde ich bis an mein sechzigstes Jahr verhindert, ... und konnte nur durch maskierte Vorstöße ... die Verbindung zur inneren Richtlinie festhalten."[28]

Gerade die Sprache in einem Stück wie *Tabula rasa* macht deutlich, wie sehr man bisher die sogenannten stilistischen Eigentümlichkeiten zumindest in den Theaterstücken überschätzt hat. Sowohl Wendler als auch Sebald beziehen sich bei ihren sprachanalytischen Versuchen fast ausschließlich auf die erzählende Prosa, während Diebold, einer der wenigen, die sich überhaupt mit dem Stil der Komödien auseinandergesetzt haben, die Sternheimschen Innovationen in Wortstellung und Syntax nur am Rande berücksichtigt. In seinem Aufsatz *Expressionismus und Sprachgewissen*[29], in dem er seinen neuen Stil ausführlich beschreibt und rechtfertigt, setzt Sternheim sich bezeichnenderweise mit einem Roman Otto Flakes auseinander, der nach seinen eigenen Worten sprachlich von ihm sehr beeinflußt sei. Anders als in den Bürgerkomödien versucht Sternheim in seiner erzählenden Prosa die Norm direkt zu gestalten. Insofern setzen auch hier seine sprachlichen Neuerungen massiv ein, die gleichzeitig die verlogenen Moralvorstellungen der Zeit und die sie artikulierende klischierte Bürgersprache überwinden wollten. Geht man von der dauerhaften Wirkung der erzählenden Prosa als Wertmaßstab aus, so muß diese als ebenso gescheitert gelten wie die späten Stücke Sternheims, die ja ebenfalls die verlorengegangene ethische Norm wieder aufzurichten versuchten.

Sternheims Erfolg gründet sich einzig auf die Gestaltung des Negativbildes der Norm in den Bürgerkomödien. Die intendierte negierende Darstellung ist der eigentliche Grund dafür, daß hier die sprachlichen Innovationen keine tragende Bedeutung haben. Die Mittel der hyperbolischen Selbstdarstellung, der Stilmontage und der Kontinuität der sprachlichen Maske, die als solche transparent gemacht wird, sind in diesem Rahmen die letztlich auf eine Emanzipation des Zuschauers abzielenden sprachlich-stilistischen Gestaltungsformen. Solche Beobachtungen belegen erneut, daß Sternheim in seinen Bürgerkomödien weit davon entfernt war, positive Menschenbilder zu zeichnen. Distanzierende Kritik stellt sich als das Hauptanliegen auch der sprachlichen Formung dar. Schon eine genauere Stilanalyse hätte Emrich zur Erkenntnis der interpretatorischen Unzulässigkeit seiner Heldenthese gelangen lassen.

Sternheims „Kampf der Metapher" findet in den Komödien in indirekter Weise statt. Dafür kann die Sprache Krulls in der *Kassette* noch einmal ein anschauliches Zeugnis ablegen. Insbesondere auf den Bildungsbürger trifft das zu, was Sternheim im Blick auf den Bürger allgemein formuliert hatte: „Noch immer hatten mit aller Welt sie gleiche Begriffe, die sie nur mit vollen Backen bis zum Platzen aufgeblasen hatten."[30] Auf Krulls Schilderung seiner Hochzeitsreise ist in anderem Zusammenhang ausführlich hingewiesen worden. Dort läßt Sternheim „nicht den wirklichen Oberlehrer Krull ... sprechen", wie Diebold zutreffend ausführt, „sondern den Bädeker plus Untersekunda-Schulaufsatz plus Weinkarte plus deutscher Liederkranz."[31] Also Stilmontage mit heterogensten Versatzstücken mit dem Ziel der Selbststilisierung und der Fiktion familiärer Harmonie. Der Sprecher selbst verschwindet hinter einem wüsten Sprachpotpourri und erstarrt zum Sprachautomaten.

Überhaupt ist Krull unter den Figuren Sternheims im besonderen Maße durch sein überhitztes metaphorisches Sprechen gekennzeichnet. Er weist es von sich, „als zuckender Fetzen Fleisch"[32] zwischen seiner Frau und der Erbtante angesehen zu werden, herablassend spricht er von „den Veitstänzen der Hablosen Habgierigen"[33] und sein eigenes Haus bezeichnet er empört als eine „Kloake sittlicher Verkommenheit."[34] Aber der gesamte Metaphernwust bezieht sich ironisch auf den Sprechenden zurück. Was er entrüstet und herablassend von sich weist, sind in Wirklichkeit exakt zutreffende Selbstcharakteristiken. Die Metapher wird zum Bumerang für den im Irrtum über sich selbst befangenen Bürger, dem die sprachliche Kontrolle mehr und mehr entgleitet.

In der unmittelbaren Konfrontation mit dem Kapital als der vergötzten Basis bürgerlichen Lebens entartet die Sprache bezeichnenderweise zu einem Gestammel. Als Krull von der Kassette hört, stößt er hervor: „Warum? Heraufschleppen – in schwarze Tücher gebunden – einen viertel Zentner – woher – hierhin – allein – mit wem – abends – morgens –? Und dann – wohin damit?“[35] Die Sprache kapituliert vor der Übermacht materiellen Besitzes. Die Szene, in der die Erbtante Krull erlaubt, die Kassette zu öffnen und die Wertpapiere durchzusehen, ist sprachlich ganz und gar bestimmt von der Arithmetik des Kapitals. Die Wesenlosigkeit der Zahl, das rein quantitative Prinzip, führt im Vorgang des Zählens zu syntaktischen Verkümmerungen und läßt die metaphorisch aufgeblasene Sprache an anderen Stellen als Lebenslüge erscheinen. Hinter der Fassade der klischierten Sprache des Bildungsbürgers wird der von dem entmenschten Quantitätsprinzip besessene Möchtegernkapitalist sichtbar.

Als Krull sich des Erbes sicher glaubt, nimmt in seiner Sprache die Bank-Terminologie einen zunehmenden Platz ein, die aber jeweils assoziativ überhöht wird. Überlegungen zum Wesen des Wertpapiers lassen es Krull angeraten erscheinen, sich „Faust zweiten Teil Szene mit dem Kaiser wieder“[36] anzusehen. Von Rothschild und cäsarischen Instinkten ist die Rede. Überhaupt steigert sich Krull ähnlich wie Christian Maske in ungeheuere Machtphantasien hinein: „Stark aber, voll Hochgefühls werde ich, strecke ich aus dem Schein des Ansehens, das der Besitz verleiht, vorwärts in die Welt meine Fänge gegen die Menschen und lasse sie aus ihrer Demut vor der Chimäre tanzen“[37] Nüchterne Bank-Terminologie und metaphorisches Sprechen stehen unvermittelt nebeneinander. Der Wesenlosigkeit des Finanzjargons wird ein trivialisiertes Heldenbild kompensatorisch entgegengestellt, das sich in hyperbolischen Vergleichen und überhitzten Metaphern konstituiert. Während Theobald und Christian Maske nach Maßgabe der geschäftlichen Erfordernisse ihren Stil einzurichten verstanden und die Selbststilisierung vergleichsweise maßvoll einsetzten – in diesem Sinn äußert z. B. Hicketier: „Am entscheidenden Ort keine Romantik.“[38] – steigert sich Krulls Eigencharakteristik zur euphorischen Manie. In grotesker Selbstüberschätzung beginnt er sich als cäsarischen Herrenmenschen zu sehen und verliert dabei endgültig den Boden unter den Füßen.

Krull markiert nicht zuletzt sprachlich den Übergang zu jenen Figurationen in den Komödien Sternheims, die zur Gruppe der Machtlosen zählen. Auch bei diesen läßt sich der gleiche monomanische Zug zur Selbststilisierung beobachten, wenn man ihre Sprache einer genaueren Analyse unterzieht. Da ist zunächst der Nietzsche-Enthusiast Scarron: „Dir mehr als zwei Ozeane entfernt, bin ich an diese Bergwand gelagert. Vom Leben in zwei blauen Sonnen ausruhend. Sie entsenden Willenströme, versengen das Nächste, entzünden Ferneres mit freudiger Wärme."[39]

Das ist der parodistische Aufguß der Sprache Zarathustras: der gleiche hochpathetische Ton, die gleiche Isolierung und die gleiche Betonung des Übermenschlichen. Aber die Diskrepanz zwischen Nietzsche, der die abgelebten Ideale und mit ihnen das Humanitäts- und Bildungsphilistertum aus der Welt zu schaffen versuchte, und dem seichten Durchschnittsliteraten Scarron ist in ihrem grotesken Ausmaß offensichtlich. Der große antibürgerliche Affront erstarrt zu einem eskapistischen Verbalautomatismus, in dem sich der Identitätsverlust und die Ohnmacht des Sprechenden spiegeln. Situation und sprachlicher Aufwand klaffen weit auseinander, denn die kleinbürgerliche Frau, an die die Worte gerichtet sind, erwartet ja nichts anderes als ein erotisches Abenteuer, für das das hochfliegende Pathos ein denkbar schlechter Ersatz ist. Für Scarron aber ist der utopische Entwurf des Menschen bei Nietzsche zu einer fixen Idee geworden. Der groteske Widerspruch zwischen Redesituation und der aufgewendeten Sprache signalisiert den tiefgreifenden Verlust einer realistischen Weltorientierung. Das entmachtete Individuum verlegt seine Befriedigung, die ihm in der Realität versagt bleibt, in eine fiktive Welt, der es sich in manischem Zwang verschreibt.

In euphorischer Manie befangen ist auch der Wagnerschwärmer Mandelstam, der seine Ideale nur noch auf dem Wege völliger Identifikation mit der Sprache Wagners zu artikulieren vermag. Dabei zitiert er in ähnlich banaler Situation wie Scarron im Sinne satirischer Selbstcharakteristik aus dem *Fliegenden Holländer:* „Ach, ohne Hoffnung, wie ich bin, / Geb ich mich doch der Hoffnung hin."[40] Der Selbstaufgabe entspricht die sklavische Übernahme vorgeprägter Sprachmuster. Wie Nietzsche steht auch Wagner schon nicht mehr in der Tradition des Humanitätsdenkens des 19. Jahrhunderts. Übermenschentum und romantische Heldenverehrung weisen gleichermaßen auf den Niedergang traditioneller Ideale hin. Was aber als Aufbruch zu einer neuen Selbstfindung gemeint war, schlägt in einer Welt der Fremdbestimmung um in groteske Selbsttäusung. Die Reihe

Scarron und Mandelstam setzt Ago Bohna im *Fossil* fort. An die Stelle Nietzsches und Wagners ist bei ihm ein Gemisch aus Bakunin und Marx getreten. „Was ich tat, tat Kopernikus!... Kein feudales oder bürgerliches Ideal prüfe ich im einzelnen mehr, habe sie aus ihrem falschen Standpunkt sämtlich verworfen und einen neuen gewonnen.“[41] Sprachlich-begriffliche Anpassung auch hier. Was im Zuge der Selbststilisierung als die eigene kopernikanische Wende dargestellt wird, ist nichts anderes als das Resultat aus der Lektüre Bakunins, auf den sich Bohna später namentlich bezieht. Aus der Philosophie der Vernichtung alles Bestehenden wird ein jederzeit frei verfügbarer Zitatenschatz, mit dem man die eigenen Frustrationen abreagiert. Dem Marxismus ergeht es nicht anders als dem Anarchismus Bakunins. Da wird davon gesprochen, daß „das Proletariat zur Herrschaft kommt,“[42] vom „Klassenbewußtsein“ ist die Rede, der „Mehrwert“ wird zitiert, und auch der „kapitalistische Tauschwert“ bleibt nicht unerwähnt. Das alles hindert Ago Bohna allerdings nicht daran zu bekennen, daß ihn „Tat und Politik“[43] überhaupt nicht rühre. Der Affront gegen bourgeoise Herrschaft erschöpft sich in einer wirren Begriffs- und Zitatmontage, die ironischerweise in die Nähe bürgerlicher Sprichwortweisheiten gerät. Revolutionäres Pathos wird sterilisiert, indem man es zur phrasenhaften Anreicherung eines fiktiven Persönlichkeitsbildes einsetzt. Aus dem ursprünglichen Ansatz, bestehende Verhältnisse zu verändern, ist eine verbale Ersatzbefriedigung geworden.

„Deutsche Welt, die in Worten lebt...“[44], wie Sternheim einmal formuliert, wird in Gestalten wie Scarron, Mandelstam und Ago Bohna vorgeführt. Versagte Individuation führt zur sprachlichen Fiktion einer Welt, in der die Machtlosen den Träumen der Macht nachhängen. Nietzsches Übermenschentum, Wagners Opernhelden, anarchistische Destruktionslust und marxistisches Revolutionspathos sind die Quellen, aus denen die Beschwörungsformeln gewonnen werden für das ersehnte Paradies der Selbstverwirklichung.

Die Identifikation mit dem Schein hat Sternheim in einer Gestalt wie Philipp Ernst aus *1913* ironisch banalisiert: „Die Redingote ist im demokratischen Zeitalter der Joppe, die auch als Sakko oder Smoking auftritt, der Rock, der den Mann von Welt distinguiert. Denn er muß getragen werden. Unter seinen Falten wirkt nur der svelt trainierte Gentleman.“[45] Die Mode, Metapher für die Welt des schönen Scheins schlechthin, wird zur Bedingung einer nur noch den Äußerlichkeiten verhafteten Selbststilisierung. Durchsetzt mit modesprachlichen und modischen Begriffen, erweist sich die Sprache als unselbständig und entindividualisiert. In der Diktion wird offenbar, wie sehr der Mensch zum Affen der Zeit geworden ist.

Die Mächtigen wie die Machtlosen dokumentieren besonders durch ihre Sprache den Zwang zur Selbststilisierung. Die Machtlosen jedoch umso mehr, als sie sowohl ihre ohnmächtige Einflußlosigkeit in der von ökonomischen Zwängen beherrschten Welt als auch den Verlust ihrer Individualität in einer materiell determinierten Umgebung kompensieren müssen. Deshalb auch ihre manische Besessenheit, die einmal von außen an sie herangetragenen Sprachmuster immer und überall anzuwenden, ungeachtet der oft banalen Situation und der offen zutage tretenden immanenten Widersprüche. Aber gerade diese situative wie kontradiktorische Ironie ist es, die ihre Entlarvung durch den Zuschauer provozieren soll. Darüberhinaus zeigen die Stilimitationen großer Vorbilder, das Zitat, die Zitatmontage und die sklavische Übernahme modischer Schlagworte den Grad der Entpersönlichung an. Die Mächtigen dokumentieren dagegen eine größere Flexibilität in der Anwendung vorgegebener Stilmuster und eine größere Variabilität in der Stilauswahl sowie in der Nutzung von Bankterminologie und Geschäftssprache, Sprachebenen, die in der anderen Gruppe auf Grund ihrer Ferne von den Schaltstellen der Macht nicht auftreten. Die Kontinuität sprachlicher Masken, aber auch die Stilmontage weisen die Mächtigen als Praktiker der Manipulation im Wirtschaftsprozeß aus. Ihre ökonomische Machterfüllung kann jedoch nicht darüber hinwegtäuschen, daß sie ebenfalls der Selbststilisierung bedürfen, denn auch sie sind der wachsenden Entindividualisierung unterworfen. „Vergessen wir nicht“, schreibt Bruno Seidel, „daß der Praktiker, insbesondere der Wirtschaftsmensch, stets die Tendenz hat, für sein profanes, materielles Tun höhere Gesichtspunkte in Anspruch zu nehmen, es damit zu überhöhen und vor sich selbst und der Umwelt zu rechtfertigen.“[46]

Wie der Machtlose spricht der Mächtige an keiner Stelle eine eigene Sprache. Im Umgang mit dem Geschäftspartner unterwirft er die eigene Diktion konsequent dem Verwertungsstandpunkt, in Wahrnehmung eindeutiger Profitinteressen greift er zu denotativen Sachsprachen, und in Phasen der Selbstlegitimation überwiegt der konnotative Sprachgebrauch in der Form hochtrabender Vergleiche, überhitzter Metaphorik und humanistischer Bildungsklischees. Aber gerade die Wesenlosigkeit der total versachlichten Sprache, die grotesken Stilmontagen, die hyperbolischen wie die unfreiwillig satirischen Eigencharakteristiken sowie die Selbstaufhebung der sprachlichen Maske sind dazu angetan, dem Zuschauer die Demaskierung zu erleichtern.

Das phänomenologische Bemühen Sternheims, das Wesen des Bürgers transparent zu machen, führt paradoxerweise zur Erkenntnis der bürgerlichen Wesenlosigkeit, gespiegelt an einer weitgehend automatisierten Sprache.

Unter dem Druck kapitalistischer Verwertungsinteressen und possessiver Verdinglichung wird die Entfremdung des Menschen offensichtlich: „Seinen Höhepunkt erreicht der Entfremdungsprozeß im Kapitalismus, in der kapitalistischen Warenproduktion. Die tote Arbeit in Gestalt des Kapitals herrscht über die lebendige Arbeit des Produzenten ... "[47] Der Entfremdungsprozeß schlägt sich überzeugend in der Sprache nieder. Verlust individueller Sinngebung und individueller Ausdrucksfähigkeit läßt die Sprache zu einem automatisierten Selektionspotential erstarren, das zweckrational und ideologisch Verwendung findet. In erschreckender Deutlichkeit zeigt erst die Sprache des Bürgers den Grad seiner Entfremdung von seinem eigenen Ich, das bis zur Unkenntlichkeit verkümmert erscheint. Andeutungshaft erkennt Karl Holl in diesem Zusammenhang Richtiges: „Nicht einmal seine eigene individuelle Sprache spricht dieser seelen- und wesenlose Bürger. Er berauscht sich an großen Worten, verkrampft sich in Phrasen und Schwulst. Er ist eine Gliederpuppe, die auf Druck Formeln herausquietscht, ..."[48] Wenn sich Holl aber dem Vorwurf Diebolds anschließt, daß Sternheim „keine individuelle belebte Sprachform"[49] entwickelt habe, so verkennt er die auf totale Negation abzielende Absicht Sternheims, die aus seiner realistischen Einschätzung kapitalistischer Praxis entspringt.

Die Realität der Entfremdung ließ für Sternheim den Entwurf einer individuellen Sprache nicht zu, denn was hätte ein solcher Entwurf anders sein können als eine neuerliche Lebenslüge. Aber auch der Ansicht Diebolds ist nicht zuzustimmen, wenn er sagt: „Die Übertreibung der Karikatur spricht dem deutschen Michel beinahe auch die letzte Möglichkeit zum Besserwerden ab."[50] Die Sprachkarikatur muß als eine wesentliche Konstituente im dialektischen Theater Sternheims angesehen werden. Erst die radikal entindividualisierte Sprache zusammen mit den integrierten Demaskierungsappellen läßt sie als Antithese zur individuellen Lebensformung erkennen. Der aus solcher Erkenntnis resultierende Widerspruch kann zur Quelle der Entwicklung und Veränderung werden.

VII. VON DER SATIRISCHEN KOMÖDIE ZUM DIALEKTISCHEN THEATER

Die Mehrheit der herausgearbeiteten Strukturelemente in den Komödien Sternheims läßt sich ohne weiteres mit der Komödientradition in Verbindung bringen. Besonders auffällig ist dabei die Nähe zur Typenkomödie. So sieht Mennemeier in den Stücken Sternheims die drei Haupttypen des Lustspiels verwirklicht, nämlich den eiron, den alazon und den buffo.[1] Der Hinweis auf die typisierende Darstellung, so konnte gezeigt werden, kann aber nur dann interpretatorische Relevanz beanspruchen, wenn man die konstituierenden Merkmale der Typen auf dem zeitgeschichtlichen Hintergrund bürgerlicher Machtexpansion sieht. In diesem Sinn sind die figuralen Stereotypen des Mächtigen, Mindermächtigen und des Machtlosen wilhelminische Transponierungen überkommener Komödientypen, die in ihrer Eindimensionalität den Verlust individueller Prägung signalisieren. Bei Sternheim betritt die traditionelle Gestalt des miles gloriosus im Gewand des 20. Jahrhunderts die Bühne, der sich den Glauben an seine Heldenrolle immer erneut einreden muß. Ob nun als Industriemagnat oder im geliehenen Kostüm des Übermenschen, des altgermanischen Helden oder des Revolutionärs, immer versucht er die anderen von der treibenden Kraft seiner Rolle zu überzeugen, während er in Wirklichkeit als Getriebener im Banne des Kapitals oder als wirklichkeitsfremder Träumer auf der Suche nach Ersatzbefriedigung entlarvt wird. Hinter der Heldenmaske verbirgt sich das seelenlose Opfer kapitalistisch-industrieller Fremdbestimmung.

Den figuralen Stereotypen ist konsequenterweise eine Sprache zugeordnet, deren Schablonenhaftigkeit in den grotesken Montagen und in der situativen Unangemessenheit zum Ausdruck kommt. Ein prominentes Beispiel für die auf Sprachmengerei basierende Komik bietet der *Horribilicribrifax* des Andreas Gryphius. In der gleichen Tradition steht der Riccaut de la Marliniere aus der *Minna von Barnhelm.* Typenzeichnungen wie Sprachkomik stehen wie in der herkömmlichen Komödie auch bei Sternheim im Dienst der Zeit- und Gesellschaftskritik. Die Parallelen zwischen der Lustspieltradition und dem Sternheimschen Theater lassen sich jedoch noch weiter verfolgen. So sind die Redestrategien zur Überrumpelung des Gesprächspartners im Sinne der Sicherung eigener Interessen durchaus vergleichbar mit den Intrigen, den Verwicklungen und Verstellungen in der traditionellen Komödie. Neben der *Minna von Barnhelm* bietet sich in diesem Zusammenhang auch der Dorfrichter Adam als parallelisierbares Beispiel an, denn auch ihm geht es ja darum, seine subjektiven Interessen hinter der Fassade objektiven Scheins zu verbergen. Überhaupt spielt bei Sternheim wie in der gesamten Komödientradition die Schein-Sein-Problematik zusammen mit den Techniken der Demaskierung eine dominierende Rolle.

Nicht zuletzt weist auch die theatralische Präsentation auf die herkömmlichen Darbietungsformen zurück. Anders als die Tragödie ist die Komödie enger mit dem gesellschaftlich-geschichtlichen Raum verbunden. Bereits Reinhold Michael Lenz definiert in diesem Sinne: „Komödie ist Gemälde der menschlichen Gesellschaft."[2] Typisierung, intrigante Dialoggestaltung, Sprachkomik, gesellschaftliche Gebundenheit und vor allem das dialektische Spannungsverhältnis von Maskierung und Demaskierung lassen Sternheims Komödie auf den ersten Blick als Aktualisierung der traditionellen Gattung im wilhelminischen Kostüm erscheinen.

Eine eingehende Betrachtung läßt jedoch Zweifel an diesem Eindruck aufkommen. Wie bereits an anderer Stelle zitiert, wird Sternheim nicht müde, in seinen programmatischen Essays immer wieder zu betonen, daß es ihm um die Wiedergabe gesellschaftlicher Wirklichkeit gehe. Franz Blei drückt das so aus: „In diese ganze geschlossene Welt der Bürgermodernität ist kein Pfeil zu senken und liebend keine Hand an sie zu legen. Sie ist zu definieren: das ist alles."[3] Also unvoreingenommene Phänomenbeschreibung der Zeit mit dem Ziel, das Wesentliche zu gestalten unter Aussparung des Zufälligen im Gefolge zeitgenössischer Phänomenologie. Damit ist allerdings der „Spielcharakter der Vorgänge und Figuren"[4], den Catholy für konstitutiv für die Komödie ansieht, empfindlich in Frage gestellt. Wo der Spielcharakter nicht mehr gewahrt wird, die Komödie mit ihren entmenschten Typen, ihrer Sprachkarikatur und Überrumpelungsstrategien als Wirklichkeit ausgegeben wird, da kann sich kaum noch befreiendes Lachen einstellen. Die enttäuschten Erwartungen der Zuschauer müssen sich angesichts ihrer wenig schmeichelhaften Konterfeis Luft machen in Empörung und Entrüstung, was dann ja auch tatsächlich der Fall war bis zur Inszenierung der *Kassette* durch Noelte in München. Was aber ist nun im eigentlichen dafür verantwortlich, daß der Spielcharakter offenbar nicht mehr realisiert wird?

In der traditionellen Komödie konnte der Zuschauer sicher sein, am Ende die Wiedereinsetzung der in seinem gesellschaftlichen Kontext gültigen Norm zu erleben, die nur vorübergehend durch eine Kette von Verwicklungen und Vorstellungen außer Kraft gesetzt worden war. Die Vorausahnung der Normrestitution in der Rezeptionseinstellung des Publikums und die tatsächliche Realisierung dieser Restitution ließen das Komödiengeschehen als spielerische Entstellung gesellschaftlicher Erwartungen erscheinen, in Szene gesetzt für ein Publikum, das sich lachend von den Heimsuchungen, gesellschaftliche Normen zu übertreten, zu befreien gewillt war. So schreibt Catholy bestätigend: „Im Verlaufe der Handlung wird die Abweichung entlarvt, der Abweichende lächerlich gemacht und die Norm schließlich in ihren vollen Rechten bestätigt."[5] Tellheims übersteigertes und unmenschlich verabsolutiertes Ehrgefühl wird am Schluß „auf die Ebene der Menschlichkeit zurückgeholt."[6] Ähnlich ergeht es dem Grafen Hans Karl Bühl aus Hofmannsthals Gesellschaftskomödie *Der Schwierige* von 1921. „Es geht darum", schreibt Hans Steffen, „daß der nachdenkende und lebensentfremdete Hans Karl wieder zum Handeln und Leben gebracht wird . . ."[7], was dann auch, parallel zu Lessings Komödie, durch die Liebe einer Frau gelingt.

Bei Sternheim hält man vergeblich Ausschau nach einer Norm, die im Komödienausgang in ihren vollen Rechten bestätigt und wiedereingesetzt wird. Daran ändern auch die Emrichschen Thesen nichts, die, wie bereits ausgeführt, Intentionen mit Realisierungen verwechseln. Sternheim selbst sah sich in seinen Bürgerkomödien außerstande, eine verbindliche Norm für alle zu etablieren, denn sein erklärtes Ziel war es, „aus keiner voreingenommenen Norm, Urteilen der Besserwissenden, Gebildeten, doch aus sich selbst zu gelten und für sich selbst als Ding an sich verantwortlich zu sein."[8]

Jede ethische Norm bedeutet letztlich eine uniformierende Festlegung, einen Verlust an individueller Entwicklungsmöglichkeit, indem Vorgedachtes und Vorgeprägtes zur Richtschnur menschlichen Verhaltens wird. Als Beispiel nennt Sternheim, die „über Kant und Hegel mitgeschleppten, oft erneuten und vermehrten Ideale"[9], die den Menschen eine erdachte ethische Wirklichkeit aufdrängten und sie dadurch zu Befehlsempfänger degradierten. Die Wirklichkeit der Welt wird zu einer geglaubten und erdachten entstellt und ihrer Mannigfaltigkeit beraubt. Daraus zieht Sternheim unmißverständlich die Folgerung: „... nur Wirklichkeit bestehe und nicht das kleinste Ideal!“[10]

Die Etablierung einer Norm widerspricht für Sternheim der geforderten Emanzipation des Individuums. Jede Analyse, die bei Sternheim von der Existenz verbindlicher Normvorstellungen ausgeht, muß daher in die Irre führen. Das gilt natürlich auch im Rahmen der Gattungspoetik, wo die Übertragung herkömmlicher gattungspoetologischer Strukturen notwendig zu Fehldeutungen Anlaß geben muß.

Die Abwesenheit einer expliziten Normdarstellung und damit der den traditionellen Gattungserwartungen zuwiderlaufende Komödienausgang weisen am ehesten in die Richtung der Satire.

„Die Komödie“, schreibt Matthew Hodgart, „hält sich an die Spielregeln der Gesellschaft, die Satire nicht: Sie protestiert sowohl gegen die Regeln als auch gegen die Gesellschaft selbst und ist in ihrer Kritik viel massiver, als es die Komödie je sein kann.“[11] Sternheims Kritik an der kapitalistisch-industriellen Gesellschaft der wilhelminischen Ära gewinnt ihre Intensität nicht zuletzt dadurch, daß der Autor es sich versagt, die inhumanen Verhältnisse durch die Konstitution einer wohlfeilen Norm wieder ins rechte Maß zu rücken. Der Grad menschlicher und gesellschaftlicher Perversion spiegelt sich in der Abwesenheit jeglicher ethischer Maßstäbe. Solche Perversion muß letztlich auch die Gattungsgesetzlichkeiten der Komödie außer Kraft setzen.

Während die traditionelle Komödie in der Wiedereinsetzung der Norm am Ende der Gesellschaft recht gibt und ihre moralischen Leitlinien akzeptiert, negiert die Komödie Sternheims durch die konsequente Aussparung der Norm die gesellschaftlichen Orientierungen seiner Zeit aufs radikalste. Der Satiriker Sternheim destruiert den Erwartungshorizont seiner Zuschauer, indem er sie mit der fragmentarischen Struktur einer Komödie konfrontiert, die sich weigert, bloße Ventilfunktion zu übernehmen und als Wasserträgerin wilhelminischer Gesellschaftslegitimationen zu fungieren. „The technique of the satirist consists of a playfully critical distortion of the familiar.“[12] Die Aussparung der Norm signalisiert am überzeugendsten die Zerstörung des Vertrauten und führt die satirische Mutation der Gattung Komödie bei Sternheim herbei. Erst in dieser satirischen Perspektive gewinnen die radikalen Verkehrungen humaner Kommunikation, des emanzipatorischen Verhaltens der räumlich-zeitlichen Dimension menschlicher Existenz gegenüber und des Postulats individueller Erfüllung ihre eigentliche strukturelle Begründung. Im negierenden Zerrspiegel erscheinen die Komödienfiguren als Karikaturen des Menschlichen schlechthin, ihr soziales Umfeld erstarrt zu einem Mechanismus fortgesetzter und ständig forcierter Entfremdungen, und ihre hochtönenden Legitimationen werden als ideologische Verbrämungen und dürftige Surrogate transparent. Konsequente Satire also auch hier, denn „the essence of satire is persistent revelation and exaggeration of the contrast between reality and pretense."[13]

Der satirische Charakter des Sternheimschen Bühnenwerks ist früh erkannt worden. Schon Karl Holl spricht von „Verneinungskomödien"[14]. Ihm folgt, wenn auch mit gewissen Einschränkungen, Peter Uwe Hohendahl: „Zwar mißbilligt Sternheim die Wirklichkeit und ist darin Satiriker, aber auf der anderen Seite verwirft er die traditionellen Formen der Mißbilligung als bloße Ideologie ... Die Satire wird in dieser gesellschaftlich-ideologischen Lage komplizierter."[15] So führt auch Ivan Nagel aus: „Christian Maske und Paul Schippel verfallen selber der Objektivität der Satire ..."[16] In neuester Zeit ist es vor allem David Myers, der auf die satirischen Kräfte in Sternheims Komödien hingewiesen hat: „Sternheim is thus not the creator of modern heroes who will form the basis of a new, more honest society, as Emrich and Wendler in particular have alleged. On the contrary. He is an ambivalent mixture of an arrogant cynic, who has an almost pathological need to mock and to satirize ..."[17] Demgegenüber haben sich vor allem Emrich und Wendler, fußend auf den Selbstäußerungen Sternheims, entschieden gegen eine Inanspruchnahme der Bürgerkomödien durch die Satire ausgesprochen. War es doch Sternheim selbst, der gesagt hatte: „Also nicht Satire und Ironie, die als meine Absicht der tüchtige Reporter festgestellt hatte und Menge nachschwatzte..."[18]

Enthält man sich jeder weiteren Problematisierung dieses Ausspruchs, so muß man in der Tat Emrich recht geben, wie es denn auch kürzlich durch Walter Hinck geschehen ist: „Über Carl Sternheims Komödien ... schien lange Zeit das letzte Wort gesprochen zu sein: sie galten als erbarmungslose Bürgersatire. Erst Wilhelm Emrich versuchte das geläufige Sternheim-Bild entschlossen zu korrigieren."[19]

Es ist wenig überzeugend, wenn man dieser durch Sternheims eigene Äußerungen geschaffenen Problemlage dadurch auszuweichen sucht, daß man wie Nagel Sternheim einfach als wirren Denker bezeichnet, dem der Widerspruch zwischen Werk und Theorie entgangen ist, oder daß man wie Myers von der Ambivalenz in Sternheims Denken ausgeht. Entscheidend ist die bisher überhaupt noch nicht gestellte Frage nach Sternheims spezifischem Satireverständnis. Auch bei Hohendahl findet man keine einleuchtende Antwort, allerdings verweist gerade er auf die komplizierte Lage der Satire im 20. Jahrhundert angesichts der langen literarischen Tradition der Gattung, die bereits feste Strukturen ausgebildet hat und einen klar umrissenen Platz im Erwartungsfeld des Lesers beansprucht.

Innerhalb der deutschen Literatur lassen sich schon im Barock die Herausbildung kanonisierter satirischer Gattungsmerkmale erkennen, die vor allem im dialektischen Aufbau von Norm und satirischer Szene und in der ästhetischen Realisierung der Antiform bestehen.[20] Konstitutiv für die Gattung schien damit für alle Zeiten die Existenz normativer Vorstellungen im Sinne eines moralischen Konsenses zu sein. Im Barock bot sich für die neuere Zeit das Ordodenken als erster umfassender Normkomplex in der Funktion eines ethischen Fundaments der Satire an. Abweichungen vom ordo fielen unbarmherzig dem satirischen Urteilspruch zum Opfer, wobei die Norm selbst expressis verbis formuliert wurde, so daß die Wirklichkeit als ihre konsequente Negation erschien. Dies gilt für die Satiren von Lauremberg über Rachel, Grimmelshausen und Beer bis hin zu Neukirch. Im 18. Jahrhundert trat an die Stelle des ordo die ratio, die als normative Vorstellung von Liscow bis Lichtenberg dominierte. Der ausdrücklichen Formulierung der Norm wich in zunehmendem Maße die ironische Indirektion, die im Zuge aufklärerischer Intentionen eine intensivere intellektuelle Beteiligung des Rezipienten verlangte, um die Norm aus den ironischen Entstellungen zurückzugewinnen. Beide, Ordodenken und Rationalismus, stellen festgefügte normative Systeme dar, ohne die die satirische Gestaltung nicht möglich erschien. Die Bindung des Satirikers an das Ideal wurde dann vor allem von Schiller als unabdingliche Voraussetzung satirischen Dichtens formuliert: „Satyrisch ist der Dichter, wenn er die Entfernung von der Natur und den Widerspruch der Wirklichkeit mit dem Ideale ... zu seinem Gegenstande macht."[21] Wirklichkeit soll also am Ideal als der höchsten Realität kritisch gemessen werden.

Die Vorstellung von der Satire als einer an inhaltliche Ideale gebundenen Gattung reicht bis weit ins 20. Jahrhundert hinein und führte im ganzen zu einer skeptischen, wenn nicht gar ablehnenden Haltung der satirischen Gattung gegenüber. Es ist daher bezeichnend, wenn Sternheim Schiller gerade wegen dessen Gebundenheit an das Ideal ironisch attackiert. Bezugnehmend auf Schillers *Kabale und Liebe* erscheint es Sternheim geradezu lächerlich, wenn „Mitglieder der Familie Miller und des Präsidenten durch sittliche Willkür und Zwangsvorstellungen sich gegen lebendige Wahrscheinlichkeit Leben zur Hölle machen, und wie noch die Hure par excellence, Lady Milford, aus keinen anderen Trieben in des Fürsten Bett springt, als um mit dort erhaltenen Geldern der ärmsten Landeskinder materielle Not zu lindern."[22]

Ideale, und sei es selbst das der Humanität, sind für Sternheim sittliche Zwangsvorstellungen, willkürliche Setzungen, die den Lebensraum des einzelnen empfindlich einengen, indem sie ihn zwingen, sich ethischen Fremdbestimmungen zu beugen. Erst auf diesem Hintergrund wird klar, warum Sternheim die Gattungsbezeichnung Satire für sein Werk ablehnte, denn gerade die Satire mußte ihm auf Grund ihres vor allem von Schiller geprägten Verständnisses als die indirekte Darstellung des Ideals erscheinen. Noch Tucholsky hatte ja den Satiriker als „gekränkten Idealisten"[23] gesehen. Aus all dem geht hervor, daß Sternheim keinesfalls als Satiriker im herkömmlichen Sinne zu bezeichnen ist, der sich als Advokat unverbrüchlicher Normen verstand.

Adorno hat in Abwandlung des Juvenalschen Diktums geäußert: „Schwer, eine Satire zu schreiben."[24] Ihm folgt vor allem Helmut Arntzen, wenn er schreibt: „Freilich ist mit dem Hinfall verbürgter Autorität die Satire nicht mehr imstande, das Übel als Abweichung vom feststehenden Guten und Wahren zu behaupten."[25] Über Adorno hinaus behauptet Arntzen, daß die Satire „ihre Moralität allein in der Form, dem genauesten Stil, der komplexesten Struktur"[26] bewähre. Dies ist sicherlich eine wichtige und auch bei Sternheim durchaus nachvollziehbare Erkenntnis, denn auch dort erfolgt ja der Umschlag von der Komödie in die Satire vor allem durch die Fragmentarisierung herkömmlicher Komödienstruktur. Dennoch reicht die Definition Arntzens nicht aus, da sie die inhaltliche Seite der Satire völlig außer acht zu lassen können glaubt und dadurch einen unverbindlichen ästhetischen Eskapismus zu erkennen gibt. Im Laufe seiner Darstellung ist es daher bezeichnend, daß Arntzen mehrfach versucht, entgegen seiner Definition, die inhaltlichen Implikationen dennoch miteinzubringen. So formuliert er in bezug auf Sternheim: „Die Aufhebung dieser Welt leistete er in ihrer konsequenten Darstellung: Satire zerstört die Welt bloßen Scheins und impliziert die Utopie."[27] Die Utopie also wird als Äquivalent der Norm angesehen. Damit ist entgegen der ästhetisch orientierten Definition eine inhaltliche Kategorie eingebracht, die allerdings eigentümlich verschwommen bleibt. Dies hat vor allem seinen Grund in der inflationären Verwendung des Utopiebegriffs, denn „eine Utopie ist ja mehr und will mehr sein als ein Fabelland ... Sie will eine geschloßne, in sich stimmige, überzeugende und sozusagen lebensfähige Welt sein, eine Ordnung, die ihren Bau und ihr Gleichgewicht hat, ein Gebilde, das, wenn es schon nicht wirklich ist, doch wirklich sein könnte."[28]

In diesem Sinne ist Sternheim zumindest in seinen Bürgerkomödien alles andere als ein utopischer Denker. Gerade auf Grund der Geschlossenheit der Utopie dürfte es wohl auch kaum zutreffend sein, daß der Eindruck, der bei der dargestellten Aufhebung der Welt entsteht, utopischen Charakter annimmt. Allenfalls kann es sich hier um ein erstes deutliches Bewußtsein des Ungenügens an bestehender Realität handeln. Zuzustimmen ist Arntzen jedoch im Hinblick auf die Erkenntnis der Negation in Sternheims Komödien, von der im Rahmen dieser Darstellung des öfteren die Rede war.

Die phänomenale Beschreibung wilhelminischer Welt soll das Wesen unverstellt an den Tag bringen. Deshalb insistiert Sternheim immer wieder auf dem Grundsatz wirklichkeitsgetreuer Abbildung und weist bezeichnenderweise auch in diesem Zusammenhang satirische Intentionen zurück." Wie in aller Kunst, wie im Leben selbst, sehe ich auf der Schaubühne den erhöhten Ort, einen Kothurn, auf dem zwar nicht zufällige allzu banale Wirklichkeit, doch deren gesteigerte Wahrhaftigkeit zwecks größeren weithin sichtbaren Eindrucks nicht nur für Mitlebende, aber auch für kommende Geschlechter, überlebensgroß, nicht karikiert, satirisch, nicht ironisch, aber wohlproportioniert agiert wird."[29] Künstlerischer Ziel ist die im letzten wesenhafte Erfassung der eigenen Zeit ganz im Sinne zeitgenössischer Phänomenologie. Auf dem Wege reduktionistischer Darstellung, d. h. unter Aussparung alles bloß Zufälligen, soll der Zuschauer angeleitet werden, zum Kern des eigenen sozialen Umfeldes vorzustoßen. Keine herkömmliche satirische Darstellung also, die sich zur Durchsetzung ihres normativen Maßstabs des verzerrenden Perspektivismus bedient, sondern phänomenale Ursprünglichkeit der Abbildung. Autoritär fixierte Normkomplexe und der verzerrende Perspektivismus mit dem Ziel der moralischen Überrumpelung des Adressaten sind für Sternheim offenbar kausal verbunden, und diese Erkenntnis führt ihn zu einer beachtenswerten Kritik an der traditionellen Satire. Aber trotz der prinzipiellen Offenheit gegenüber der Etablierung einer Norm und trotz der intendierten Wesensschau zeitgenössischer Phänomene bleibt der Eindruck des Satirischen vorherrschend. Eine Welt, in der die agierenden Figuren den Charakter von Marionetten annehmen, gelenkt von den Akteuren nicht mehr zu kontrollierenden Mechanismen, muß notwendig als verkehrte Welt erscheinen, als die totale Negation menschlichen Selbstverständnisses.

Für Sternheim wie für den traditionellen Satiriker sind sich die Menschen ihrer eigenen depravierten Situation nicht mehr bewußt und bedürfen der Aufklärung. „The satirical writer believes that most people are purblind, insensitive, perhaps anaesthetized by custom and dullness and resignation."[30] Wie in der Normbildung und der Darstellungstechnik muß aber auch, was die Person des Satirikers angeht, eine deutliche Differenzierung vorgenommen werden. Der Satiriker war in seinem Selbstverständnis bisher Träger und Repräsentant der ethischen Norm und leitete von daher die Bedeutsamkeit seines Richteramts ab. Ronald Paulson führt zutreffend aus: „The satirist is primarily a means to an end, merely a norm against which to judge the satiric object."[31] Anders Sternheim, der nicht länger mehr im Besitz einer inhaltlich umrissenen Norm ist und sich daher weigert, die Rolle des moralischen Agenten zu spielen. Am deutlichsten hat bisher Franz Blei auf dies Problem aufmerksam gemacht: „Er (Sternheim) nimmt das Leben dieser modernen Menschen nicht wirklich, wie diese es glauben, auch in einem Teile nicht, von dem aus er satirisch auf die anderen Teile reflektieren könnte. Er hat, kurz gesagt, in diesem modernen Leben keinen Standpunkt."[32]

Jetzt kann auch geklärt werden, worauf Sternheim im eigentlichen abzielte, wenn er über den Zuschauer ausführte: „... ihn überwältigt zum Schluß die Sehnsucht nach einem schönen Maß, das der Bühnenheld nicht hatte, zu dem er selbst aber durch des Dichters Aufklärung nunmehr leidenschaftlich gewillt ist."[33] Auf der Bühne wird dem Zuschauer ein im Mechanismus kapitalistisch-industrieller Wirklichkeit erstarrter Typ vorgeführt, der seine Identität endgültig eingebüßt hat, ja nicht einmal mehr den Grad der Entfremdung verspürt, dem er unterworfen ist. Die Arbeit in Gestalt des toten Kapitals hat seine Individualität usurpiert. In der wesenhaften Darstellung wird die vernichtende Kritik an der Puppifizierung des modernen Menschen transparent. „Der bürgerlich-moderne Mensch mit seiner theoretischen Betonung der Individualität ist ganz als das gesehen, was er ist: als Masse. Damit ist er kulturell überwunden ...[34]

Sternheim ist im 20. Jahrhundert einer der wesentlichen Vertreter eines antiautoritären Satiretyps. An die Stelle des moralisch unbeirrbaren Sittenrichters tritt der lediglich anstoßgebende Aufklärer, der die entfremdeten Verhältnisse beschreibt und es dem Adressaten überläßt, sich sein eigenes Urteil zu bilden und die notwendigen Konsequenzen zu ziehen. „Derjenige, der den Anstoß gibt", schreibt Klaus Günther Just, „zielt ja auf eine entschiedene Verbesserung der bestehenden Zustände, der Anstoß besitzt zuständebrechende oder zumindest zuständewandelnde Kraft."[35] Sternheim hat kein ethisches Programm zu verkünden wie der traditionelle Satiriker, denn Individualität läßt sich nicht lehren. Ihr Spezifikum besteht ja gerade darin, daß sie von jedem einzelnen unverwechselbar und unnachahmlich zu verwirklichen ist. Der moderne Satiriker kann lediglich Impulse geben, alles, was darüber hinausgeht, rückt bereits in die Nähe moralischer Indoktrination, die Sternheim offenbar an der traditionellen Satire verurteilte. Sein antiautoritärer Individualismus duldete keine moralische Belehrung. Dennoch scheint der Begriff der Norm gerechtfertigt zu sein, insofern man darunter die vom Rezipienten selbst zu aktualisierende Identität versteht, zu deren Realisierung Sternheim durch die Darstellung der Negation des Menschlichen in der modernen Welt einen jeden einzelnen aufruft. Sternheim beschwört keine Utopie, seine Intention geht vielmehr dahin, die Einsicht in die Notwendigkeit der Selbstverwirklichung durch die Art der Darstellung zu erzwingen. In diesem Zusammenhang muß auch die Fragmentarisierung der Komödienstruktur gesehen werden. Während die herkömmliche Satire die althergebrachten Formen und Gattungen deformierte, um den Grad der moralischen Perversion zu offenbaren, spiegelt sich bei Sternheim in der fragmentarischen Struktur der Komödie die Unmöglichkeit einer allgemeingesellschaftlichen Norm, in die sich der Zuschauer ungeachtet seines individuellen Anspruchs zu integrieren hat. Die unvollendete Komödie signalisiert die Abweisung jeglichen uniformierenden Zwangs. Es ist ein moderner Eudämonismus, der bei Sternheim entgegentritt. Erst das Wissen um die eigene Identität ermöglicht selbstverantwortliches gesellschaftliches Handeln, Hans Schwerte hat recht, wenn er über Sternheim allerdings mehr rhapsodisch als induktiv folgernd ausführt: „Die Unverfälschtheit göttlich anvertrauter Person in ihrer Gänze zu erhalten, oder an die Möglichkeit dieses Erhaltens zu erinnern, ist unveräußerlich poetischer Auftrag, wie ihn Sternheim quer durch alle geistige und soziale Verbildung und Hemmung verstanden wissen wollte."[36] Im Gefolge Emrichs verfällt aber auch Schwerte dem Irrtum, daß Sternheim sich etwa in einer Person wie Ständer selbst in seinen innersten Antrieben dargestellt habe.[37] Das Problem der Selbstverwirklichung läßt sich nicht dadurch lösen, daß Muster der Ichwerdung vorgeführt werden. Ein solches Verfahren wäre nichts anderes als ein neuer Aufguß idealistischer

Leitbildpädagogik, die Sternheim jedem Ideal abhold, zumindest in der Zeit der Abfassung der Bürgerkomödien weit von sich gewiesen hätte. Gerade eine Figur wie Ständer zeigt, wie selbst der Arbeiter dem Anpassungsdruck durch eine kapitalistisch formierte Gesellschaft ausgesetzt war und sein Anspruch auf Individualität daher rein theoretischer Natur ist.

Ähnlich wie Sternheim die Komödie, so hatte Kafka den Roman als Fragment gestaltet. Auch Kafkas Figuren in den Romanen *Der Prozeß* und *Das Schloß* verfangen sich im gesellschaftlich-institutionellen Labyrinth, und die ihnen im eigentlichen aufgetragene Selbstverwirklichung bleibt unerfüllt. Sternheim wie Kafka realisieren im Fragmentarischen trotz aller nicht zu leugnenden Unterschiede den Appellcharakter von Literatur, indem in der Negation einer negativen, dem Humanen entgegengesetzten Welt die Notwendigkeit aufleuchtet, sich auf den menschlichen Kern aufs neue zu besinnen, so daß das Torsohafte menschlicher Existenz, gespiegelt in der Fragmentstruktur, überwunden werden kann in der Individuation. Sternheims Komödie kommt auf Grund ihrer radikalen Negation bürgerlicher Welt das Prädikat satirisch zu, sofern man unter Satire eine konsequente moderne Transponierung der Gattung versteht. Aus der geschlossenen ethischen Norm ist ein offener, erst vom Rezipienten umzusetzender Appell an die Identitätsfindung geworden, und die ästhetische Realisierung der Antiform verwirklicht sich weniger in der Deformation überlieferter Formen und Gattungen, sondern vielmehr in der Fragmentarisierung herkömmlicher Integrationsstrukturen, wie im vorliegenden Fall der Komödie mit ihrem gewohnten Triumph gesellschaftlich akzeptierter Normvorstellungen. Es dürfte in diesem Zusammenhang nicht unerheblich sein, daß Sternheim durch die Zuwendung zur dramatischen Gattung auch den traditionellen Status des Monologsatirikers in seiner Funktion als Sittenrichter verabschiedet. Das „Zurücktreten des Autors hinter die sich selbst darstellenden Figuren“[38] muß als ein wesentliches den dramatischen Text erst konstituierendes Moment angesehen werden. Insofern unterstützt das Fehlen der Erzählfunktion die phänomenologischen Intentionen Sternheims und hebt den Satiriker als Träger einer unverbrüchlichen ethischen Norm auf. Die unvermittelte Darstellung von Wirklichkeit auf der Bühne wird zum Impuls für den Zuschauer und überwindet damit den autoritären ethischen Rigorismus traditioneller Satire. Dies scheint einer der entscheidenden Gründe für die Feststellung Arntzens zu sein: „Im Drama der Gegenwart ... begegnet das Satirische überall und in den verschiedensten Formen."[39] Der moderne Satiriker moralisiert nicht, sondern registriert, und das gelingt ihm am besten im Drama, das es ihm erlaubt, hinter die die verkehrte Welt repräsentierenden Figuren zurückzutreten.

Der intendierte Sprung von der Negation in die Position, von der literarischen Produktionsebene auf die Ebene publikumsbezogener Rezeption weist die satirische Komödie Sternheims als dialektisches Theater aus. Die Verneinung des Bestehenden wird zur Bedingung der Möglichkeit des Werdens. Der Ausspruch von Karl Marx: „... man muß diese versteinerten Verhältnisse dadurch zum Tanzen zwingen, daß man ihnen ihre eigene Melodie vorsingt."[40] läßt sich in diesem Sinne auch als Kurzformel für die dialektische Struktur der Bürgerkomödien Sternheims anwenden. Erst die Abweisung der Utopie, des ethischen Dogmas, führt zur Dialektik des Fortschritts, indem der Kontinuität des Geschichtsprozesses nicht länger eine Zwangsjacke angelegt wird. „Indessen ist das gerade wieder der Vorzug der neuen Richtung", führt Marx ebenfalls aus, „daß wir nicht dogmatisch die Welt antizipieren, sondern erst aus der Kritik der alten die neue finden wollen." Etwas weiter heißt es dann noch deutlicher: „Ist die Konstruktion der Zukunft und das Fertigwerden für alle Zeiten nicht unsere Sache, so ist es desto gewisser, was wir gegenwärtig zu vollenden haben, ich meine die rücksichtslose Kritik alles Bestehenden, rücksichtslos sowohl in dem Sinne, daß die Kritik sich nicht vor ihren Resultaten fürchtet und ebensowenig vor dem Konflikte mit den vorhandenen Mächten."[41] Die vorhandenen Mächte sind auch für Sternheim die Kräfte, die letztlich auf eine Stagnation des Geschichtsprozesses im Sinne der Perpetuierung eigener Machtpositionen abzielen. Utopien, Dogmen und Doktrinen sind dazu angetan, solche machtbedingten Verhältnisse zu stabilisieren, da utopische Konstrukte, gebildet auf dem Olymp idealistischer Spekulation, von der geforderten Eigeninitiative ablenken, indem sie die unvermeidliche Ankunft eines baldigen Schlaraffenlandes suggerieren. Kein die Eigeninitiative des Menschen unterdrückendes Paradies soll gedichtet werden, sondern die Aktivität des konkreten Subjekts als konstituierenden Moments des Geschichtsprozesses soll entbunden werden.

„Dialektische Darstellung intendiert, die durch ideologische Legitimation entwicklungshemmender Herrschaftsverhältnisse verzerrten Bilder von Möglichkeiten der Selbstaneignung des Menschen in Produktion und Rezeption wiederherzustellen."[42]

Im Rahmen eines dialektischen Theaters gewinnt daher die Rezeption des theatralischen Prozesses, verstanden als die reduktionistische Darstellung vorhandener Welt, besondere Bedeutung. Zurückgewiesen werden muß die Behauptung Hincks: „Satire ist zunächst eine Frage des Darstellungsstils und nicht der Rezeptionsweise."[43] Schon immer war die Satire in besonderer Weise von der Aktivität des Lesers abhängig, ging es doch darum, aus den Veranschaulichungen menschlicher Perversionen auf dem Wege eines reversiven Leseprozesses die ethische Norm zurückzugewinnen, die sich als die gegenbildliche Position zu den dargestellten Negationen ergeben sollte. Ein solcher reversiver Leseprozeß setzte auf der Seite des Lesers ein Höchstmaß an Engagement voraus, denn der ethische Appell konnte ja nur dann Wirkung erzielen, wenn der Leser bereit war, darauf aktiv zu respondieren. Während die Leserresponsion in der traditionellen Satire mit der Übernahme der gleichsam autoritär verordneten ethischen Norm vollzogen war, verlangt Sternheim von seinem Publikum ungleich mehr. Der dargestellte Automatismus gesellschaftlicher Verhältnisse soll ihn zu der Erkenntnis des eigenen Identitätsverlustes führen und ihn dazu aufrufen, eine höhere Realisierungsstufe des Individuellen in sich selbst zu verwirklichen. Es geht also nicht mehr allein um die Übernahme vorgeprägter Verhaltensmuster, sondern um die aktiv zu leistende Selbstaneignung, denn das „menschliche Bewußtsein ist eine Widerspiegelung und gleichzeitig ein Projekt, es ist registrierend und konstruierend, aufzeichnend und planend, widerspiegelnd und vorwegnehmend, rezeptiv und aktiv zu gleicher Zeit."[44] In der Registrierphase soll der Zuschauer die Verdinglichungen kapitalistisch-industrieller Welt und die daraus resultierende Entfremdung des Menschen wahrnehmen, was ihm durch die auf das Wesentliche gerichtete Darstellung erleichtert wird. Die Erkenntnis inhumaner Verhältnisse kann ihn zur Destruktion der scheinbar petrifizierten Gebilde kapitalistischer Praxis führen und damit dialektisch den konstruktiven Bewußtseinsprozeß einleiten, „in dem Menschheit und Einzelner ihre Wahrheit realisieren: sie verwirklichen die Vermenschlichung des Menschen."[45]

Konstitutiv für das dialektische Theater ist die über die Kontemplation und das bloße Reflektieren hinausgehende und auf sich selbst gerichtete Aktivität des Zuschauers. Sternheims fragmentarische Bürgerkomödien können erst durch das Engagement des Rezipienten zur Vollendung gelangen, denn „literarische Kommunikation ist eine Interaktion mit verteilten Rollen."[46] Negation und Position, Appell und

Responsion konstituieren die dialektische Motorik eines solchen Theaters, dessen eigentliche Effizienz sich erst nach dem Fallen des Vorhangs erweist.

Dies dürfte auch der Grund dafür sein, daß die Mehrheit der programmatischen Äußerungen Sternheims, die gern als Belege für die direkte Positivität der dichterischen Aussage benutzt werden, intentional angelegt ist. So äußert Sternheim an mehreren Orten: „Einmaliger unvergleichlicher Natur zu leben riet jedem Lebendigen ich ...“[47] oder an anderer Stelle: „Zum allerersten mal stieß ich im Kunstwerk dem überall befangenen Menschen die Tür ins Freie auf ...“[48] Mit Entschiedenheit fordert er von der Dichtung: „Anstelle der uns angewiesenen Erde soll kein Paradies sie dichten.“[49] Sternheim ist also keineswegs im Besitz einer Patentlösung, vielmehr sieht er in weiser Selbstbeschränkung seiner dichterischen Möglichkeiten die Hauptaufgabe darin, zu raten und letztlich Wege zu einer humanen Existenz zu weisen. Dazu ist es unabdinglich, den bourgeoisen Schutzwall von Ideologien in der Negation zu durchbrechen, so daß das unverstellte Bild dieser Welt und ihrer Menschen in jedem einzelnen realisiert werden kann. Man verwechselt nicht nur Realisierung mit Intention, sondern auch die Bühnenfiguren mit den intendierten Rezipienten, wenn man davon ausgeht, daß Sternheim positive Charaktere im Sinne leitbildgebender Helden gestaltet habe. Eine solche Interpretation unterschätzt das emanzipatorische Potential der Bürgerkomödien, die sich ja eben weigern, Leitbilder zu produzieren, wie es noch das klassische Drama getan hatte, gegen das Sternheim mehrfach Sturm gelaufen war. Das emanzipatorische Bemühen um den Mitmenschen ist in die Struktur der Bürgerkomödien eingegangen, indem diese in der Negation verstellter Welt den Appell zur Errichtung einer unverstellten Welt im individuellen Zuschauer formieren, denn die „Chance liegt allein noch beim einzelnen.“, führt auch Dürrenmatt aus, „Der einzelne hat die Welt zu bestehen. Von ihm aus ist alles wieder zu gewinnen.“[50] Dies gilt in einer weitgehend fremdbestimmten Welt sowohl für Sternheim als Komödienschreiber am Anfang des Jahrhunderts als auch für Dürrenmatt als Komödienautor der Jahrhundertmitte. Beide wollen in der spätkapitalistischen Welt das Bild des Menschen erneuern und eine neue Phase der menschlichen Selbstachtung einleiten.

Eine solche Dichtungskonzeption kann nicht länger mehr für ein exklusives Publikum gedacht sein, das z. B. noch in der Weimarer Klassik entgegentrat. Um jeden einzelnen zu ereichen, muß die Kunst auf jeglichen Festspielcharakter verzichten und in die Niederungen des

Alltags hinabsteigen. Dürrenmatt formuliert in diesem Zusammenhang unmißverständlich: „Die Komödie ist eine Mausefalle, in die das Publikum immer wieder gerät und immer noch geraten wird. Die Tragödie dagegen setzt eine Gemeinschaft voraus, die heute nicht immer ohne Peinlichkeit als vorhanden fingiert werden kann."[51]

Die Wahl der Komödie als Gestaltungsform vorhandener Welt ist auch bei Sternheim nicht zuletzt mitbedingt von dem Wunsch, ein möglichst breites Publikum zu erreichen. In der *Hose* stellt er den möglichen Rezipienten seiner Bühnenstücke bezeichnenderweise in der Gestalt einer einfachen durchschnittlichen Frau vor:

Luise: Woher kommst du so spät?
Deuter: Aus der Komödie. Ein prachtvolles Stück von Sternheim. Später erzähle ich. Du hättest ihn sehen müssen, er funkelte förmlich.[52]

Karl Holl hat den veränderten Erwartungshorizont eines sozial vielschichtigeren Publikums schon früh erkannt: „Dadurch vermählt sich von vornherein mit der neuen Kunstrichtung die Armeleutdichtung; um so mehr als man darin einen willkommenen Gegensatz zu der bisherigen Kunstübung fand, die diesen Schichten behutsam aus dem Wege gegangen war, um in eine hohle Scheinwelt zu flüchten."[53] Auch die Unterhaltungslustspiele Fuldas und Blumenthals und vieler anderer um die Jahrhundertwende legen Zeugnis ab von der wachsenden Beliebtheit der komischen Bühnengattung.

Die Komödie, schon immer einem breiteren Publikum zugänglich, wird zum Kunstwerk für die Massen, die es für Sternheim aus der Anonymität in die Individualität hinüberzuführen gilt. In diesem Sinne schreibt er an den Herausgeber der Hessischen radikalen Blätter[54]: „Wie, Kamerad, wollt Ihr mit nur formalen Umstürzen des gewaltigsten und schließlich einzigen Problems, das heutige Europäer bewegt, der Frage nach dem Platz des Individuums innerhalb der Massen Herrschaft fertig werden?"[55]

Es geht also darum, das Massenpublikum anzusprechen, das in erster Linie einer tiefgreifenden Emanzipation bedarf. Bereits im 19. Jahrhundert erscheint in der Tat als neue Leserschaft die Masse, wie Walter Benjamin dargelegt hat: „Die Menge – kein Gegenstand ist befugter an die Literaten des neunzehnten Jahrhunderts herangetreten. Sie traf Anstalten, sich in breiten Schichten, denen Lesen geläufig geworden war, als ein Publikum zu formieren."[56] Diesen Typ des Durchschnittslesers bzw. des Durchschnittszuschauers galt es anzusprechen, und das war auf Grund der gegebenen Rezeptionsbedingungen neben dem Roman, auf den Benjamin verweist, am ehesten in der Komödie möglich. Einige, die diesem neuen Massenleser zu entgehen versuchten, flüchteten sich bezeichnenderweise wie Stefan George in die Lyrik, die als hohe Kunstgattung dem durchschnittlichen Erwartungshorizont am wenigsten angepaßt war. Für Sternheim dagegen ließen sich die emanzipatorischen Intentionen nur im Rahmen einer breiten Rezeption realisieren. Sein Zuruf an den Herausgeber der Hessischen Blätter klingt wie eine Selbstinterpretation: „Seid erst im Leugnen radikal! (Im ersten Entwurf steht für Leugnen Verneinen.) Tötet Faulendes, Verfaultes im Umkreis um den zu Heilenden. Bleibt bis zum Exzeß mißtrauisch gegen Blitzlichtbringer und Quacksalber. Jagt nach den Vergiftern die Chirurgen fort und entlarvt stündlich immer wieder die Rezepte flinker Dichter und Besserwisser."[57]

Sternheims dialektisches Theater will auf der Bühne die ideologische Verhärtung kapitalistisch-industrieller Welt durchbrechen und im Zuschauerraum der Entfremdung unter dem Druck der Verhältnisse zu Leibe rücken. „Das Denken, das die Pseudokonkretheit aufhebt, um zur Konkretheit zu gelangen, ist zugleich ein Prozeß, in welchem hinter der Welt des Scheins die wirkliche Welt, hinter dem äußeren Anschein der Erscheinung das Gesetz der Erscheinung, hinter der sichtbaren Bewegung die wirkliche innere Bewegung, hinter der Erscheinung das Wesen enthüllt wird."[58] In diesem Sinne ist Sternheims Dialektik eine solche von Schein und Sein, von Erscheinung und Wesen, die gleichermaßen auf die traditionelle Komödientheorie und auf die zeitgenössische phänomenologische Erkenntnistheorie zurückverweist. Insofern unterscheidet sich Sternheims Auffassung von der Brechts, der vornehmlich die Dialektik des Klassenkampfes betonte. „Selbst in den Panoramen der Jahrmarktschaubuden und in den Volksballaden lieben die einfachen Leute, die so wenig einfach sind, die Geschichten vom Aufstieg und Sturz der Großen, vom ewigen Wechsel, von der List der Unterdrückten, von den Möglichkeiten des Menschen. Und sie suchen die Wahrheit, das was dahinter steckt."[59]

Sternheims Ansatz erscheint umfassender und weist auf die typischen Veränderungen in der spätkapitalistischen Gesellschaft hin, in der der Klassenkonflikt in die Latenz abgedrängt worden ist. Das adaptive Verhalten mit Blick auf den kapitalistischen Mechanismus hat alle Schichten gleichmäßig erfaßt und bestimmt das Vorgehen des Arbeiters wie das des Industriemagnaten und des Adligen, wie Sternheim überzeugend dargetan hat. Die neue Ideologie ist in der Tat weitreichender, „weil sie mit der Verschleierung praktischer Fragen nicht nur das partielle Herrschaftsinteresse einer bestimmten Klasse rechtfertigt und das partielle Bedürfnis der Emanzipation auf seiten einer anderen Klasse unterdrückt, sondern das emanzipatorische Gattungsinteresse als solches trifft."[60] Die Möglichkeiten zur Bereicherung, die nun jedem, wenn auch in unterschiedlichen Intensitätsgraden, im Sinne einer systemimmanenten Konfliktvermeidungsstrategie offenstehen, verdrängen zusehends das emanzipatorische Interesse und erzeugen den Schein des Pseudohumanen, den es zu demaskieren gilt. Trotz der Unterschiede in der Akzentuierung springen jedoch auch die Gemeinsamkeiten bei Brecht und Sternheim ins Auge. Den einfachen Leuten als den Rezipienten im Brechtschen Sinne entsprechen bei Sternheim die Durchschnittszuschauer, und der Hinweis auf die Möglichkeiten des Menschen sowie auf die eigene Wahrheitssuche findet bei Sternheim seine exakte Entsprechung in dem Appell an den Zuschauer, nach der Irritation durch das auf der Bühne gestaltete Negativbild des Menschen das eigene Maß zu verwirklichen. Sternheim muß als einer der wesentlichen Initiatoren des modernen emanzipatorischen Theaters angesehen werden, das über Brecht bis zu Dürrenmatt seinen dialektischen Prozeßcharakter zu erkennen gibt. Unlängst hat Martin Walser, selbst Autor von Komödien, ganz im Sinne eines modernen dialektischen Theaters geäußert: „Es wäre für die Literaturtheorie ein Vorteil, wenn die Biochemie uns schon bestätigen und regelmäßig formulieren könnte, daß unser Gedächtnis sich eher durch negative Eindrücke bildet, also eher durch Verletzung oder Verlust als durch Wohlsein und Besitz."[61]

VIII. ZWISCHEN NEGATION UND UTOPIE: EIN AUSBLICK AUF DAS SPÄTERE BÜHNENWERK STERNHEIMS

Es soll im Rahmen dieser Darstellung nicht unerwähnt bleiben, daß Sternheim den dialektischen Schwebezustand zwischen der Negation auf der Produktionsebene und der intendierten Position auf der Ebene der Rezeption in seinem Gesamtwerk nicht durchgehalten hat. Vorbereitet durch das erzählerische Werk, das 1913 mit der Erzählung *Schuhlin* einsetzt, beginnt sich auch im Drama mit dem Lustspiel *Der entfesselte Zeitgenosse* aus dem Jahr 1920 eine positiv-utopische Wende abzuzeichnen, nachdem bereits der Dorfschullehrer Tack in dem Stück *Der Stänker* von 1917 deutlich positive Züge aufgewiesen hatte. Stücke wie *Das Fossil* (1921/22), ein Nachspiel zum bürgerlichen Heldenleben, und der *Nebbich* (1922), die der ursprünglichen Absicht der Negation noch sehr nahestehen, werden in der Gestaltung schwächer und in bezug auf die entlarvende Einfallskraft dürftiger und gleichzeitig gewaltsamer.

Sternheim ist angesichts der Katastrophe des ersten Weltkriegs, dessen Vorzeichen er 1913 bereits klar erkannt hatte, ungeduldiger geworden. Es fällt ihm offenbar schwer, dem eigenen langfristigen Programm eines dialektischen Theaters länger Vertrauen zu schenken, denn trotz seiner scharfsichtigen, die bürgerliche Welt vernichtenden Analysen hatte man den Appell an das individuelle Bewußtsein nicht vernommen, zumindest war er folgenlos geblieben.

In seinem Lebenslauf von 1921 deutet Sternheim seine geistige Wende selbst an, indem er ausdrücklich auf die Kriegszeit bezugnimmt: „In dieser Zeit wurde mir auch bewußt, daß Politik reale Parallelerscheinung zur Kunst ist, in der gleichfalls alle Bedeutung davon abhängt, an logischen und sittlichen Phänomenen vorbei, aus Vision irgend eine geistige Freiheit zu gewinnen, was dem Deutschen ohne das Geländer einer in diesem Gebiet orientierenden Kunst wohl noch ein Jahrhundert lang unmöglich sein wird.“[1] Parallel dazu verläuft im gleichen Aufsatz der Versuch einer Umdeutung des bisherigen Protagonisten der kapitalistischen Scheinwelt in eine positive Heldenfigur.

„Held war er, weil aus gesellschaftlichen und vernünftigen Notwendigkeiten er sich immer stärker gegen Widerstände in die im Kunstwerk als des Lebens übergeordnetem Gleichnis geforderte Freiheit hineinspielt."[2] In der Widersprüchlichkeit dieser Aussage spiegelt sich die Gewaltsamkeit des Umdeutungsversuchs. Der Positivität des sogenannten Helden, die nun die Kernaussage auch der früheren Bürgerkomödien bilden soll, widerspricht das Diktum von der „geforderten Freiheit im Kunstwerk". Realität des Heldenbildes und das Postulat der Freiheit stehen sich logisch unvereinbar gegenüber und zeigen das Sternheimsche Denken im Zwiespalt zwischen Negation und Utopie. Die Intention, dem Menschen die geistige Freiheit zurückzugeben, die nur im Prozeß der Individuation gewonnen werden kann, ist die gleiche geblieben. Gewandelt haben sich Sternheims Vorstellungen von der Realisierung dieser Intention unter dem Eindruck der Kriegsereignisse. Die Kunst soll dem Deutschen nun das „Geländer" gestalten, an dem er sich zur Verwirklichung der geistigen Freiheit emporziehen soll. Das kann aber nur heißen, daß an die Stelle des dialektischen Theaters ein Identifikationstheater tritt, an die Stelle des Eigeninitiative auslösenden Impulses das vorfabrizierte Rezept.

Die Erschütterung durch den Weltkrieg, im wesentlichen mitbedingt durch die von Sternheim immer wieder gegeißelte kapitalistische Machtexpansion, läßt den Dramatiker an der menschlichen Bereitschaft zur kritischen Einsicht zweifeln. Aus der Gewißheit der Folgenlosigkeit des Appells an die menschliche Selbstbestimmung leitet Sternheim die Berechtigung zur Leitbildpädagogik auf der Bühne ab und manövriert sich damit in einen Selbstwiderspruch hinein, den er weitgehend erfolglos auf dem Wege von Umdeutungsversuchen aus der Welt zu schaffen trachtete. Die Unmöglichkeit, Muster der Ichwerdung vorzuführen, läßt Figuren wie Klette, Oskar Wilde und Klaus Siebenstern als abstrakte Typen erscheinen, die in ermüdender Wiederholung ihren Anspruch auf Individualität rein theoretisch formulieren.

So äußert Klette, der entfesselte Zeitgenosse, der für „alles Mögliche"[3] aufgeschlossen ist und „nicht in Sicherheiten Stillstand gerettet sein"[4] will: „Überall außer in Europa ist Platz für mich... Es ist zu tausend Aufbrüchen hohe Zeit. Man muß nicht an elektrische Öfen, an Straßenbahnen angeschlossen sein."[5] In Verkennung der realen Umfeldbedingungen wird die Möglichkeit eines befreiten Lebens angedeutet, das seinen vagen und eskapistischen Charakter offen zu erkennen gibt. Aus der entlarvenden Satire ist das hohle Pathos der unverbindlichen Phrase, aus dem kritischen Analytiker der Sonntagsprediger Sternheim geworden. Wenn Klette dann am Schluß einzig auf Grund seines hehren Menschentums die im Stil der früheren Bürgerkomödien satirisch gezeichneten Mitgiftjäger ausschaltet und die reiche Erbin heimführt, ist der triviale Traum vom großen Glück vollendet. Die zeitgenössische Kritik war verständlicherweise vernichtend. Emrich verweist auf die Besprechung in der *Kölnischen Zeitung*: „Die *Kölnische Zeitung* schrieb dazu: daß dieser neue Sternheim mit seinen Ansätzen zur Gestaltung eines positiven, in die Zukunft weisenden Paares sehr enttäuscht und sich zu Recht das Pfeifen und Zischen nach dem 2. und 3. Aufzug habe gefallen lassen müssen."[6] Auch Karasek unterzieht das Stück einer deutlichen Kritik: „*Der entfesselte Zeitgenosse* wirkt mit einer fast schwärmerischen Wendung ins Ernstgemeint-Ideale . . . wie eine Aufhebung und ein Widerruf aller früheren Stücke durch den Autor selbst. Das Stück verfällt eben der Schlagwort-Ideologie von einer edlen, selbstlosen Zukunft, die von Sternheim bisher einem tödlichen Hohn ausgesetzt worden war."[7]

Wie *Der entfesselte Zeitgenosse* so hat auch das 1924 entstandene Stück *Oskar Wilde* die Uraufführung nicht überlebt. Auch die Fernsehreprise in neuester Zeit konnte dem Schauspiel keine Anhänger gewinnen. Schon das vorangestellte Wilde-Zitat: „Was nottut ist Individualismus" verrät allzu deutlich die moralisierende Predigerhaltung. Oskar Wilde ist bei Sternheim alles andere als eine dramatische Person, vielmehr wird er zum Sprachrohr eines utopischen Programms, das in zahlreiche Monologe aufgeteilt, dem Zuschauer in kleinen Dosen verabreicht werden soll. Das Stück entartet zu einem Traktat in Dialogform über die Notwendigkeit der Ichwerdung, die die Titelfigur exemplarisch und zur Nachahmung aufrufend repräsentiert: „Da ich durch das, was ich erlebte, an dem das geringste nicht fehlen durfte, zu mir und dem Kern der Welt kam, füllt grenzenlose Freude mich so tief, umfassend, daß es mir oft, jetzt wieder die Kniee wegschlägt, ich durch brausende Heiterkeit geschüttelt, ohne deine Hilfe umkippen würde."[8] Proben Sternheimscher Sprache wie diese machen verständlich, warum Paul Rilla vom „Sprachkrampf seiner späteren Stücke"[9] gesprochen hat. Unwillkürlich fühlt man sich an die satirischen Figurationen wie Scarron, Mandelstam und Ago Bohna erinnert, die in ähnlich hohl klingendem Pathos illusionäre Einstellungen zu erkennen gaben und damit die eigene ohnmächtige Position in einer Welt verrieten, die anderen Bedingungen unterstand. Im künstlerischen Versagen des späteren Sternheim spiegelt sich die Vergeblichkeit des Bemühens um eine direkte leitbildgebende Einflußnahme. Ein Stück wie *Oskar Wilde* verstößt am nachhaltigsten gegen Sternheims bisher praktizierte Dramaturgie der Komödie, da an die Stelle der distanzschaffenden satirischen Gestaltung der Bedingungen menschlicher Unfreiheit das utopische Identifikationsangebot eines abstrakten Individualismus tritt. Ein solches Heldentheater verkennt die realen Voraussetzungen im Zeitalter des Spätkapitalismus, denn „der Mensch muß sich erst bewußt werden, daß er ein Opfer ist. Der Mensch ist nicht frei, er sollte frei sein ... und es gibt nur ein sinnvolles Handeln: jenes auf diese Freiheit hin.“[10]

Sternheims Wendung zur Gestaltung positiver Heilswahrheiten verschleiert die Erkenntnis, daß die menschliche Freiheit keinen Konfektionsartikel darstellt, den man von der Bühne herab zu frei verfügbarem Konsum angeboten bekommt, sondern eine Aufgabe, die nur auf der Rezeptionsebene durch die Eigenaktivität jedes einzelnen einer Erfüllung nahegebracht werden kann. Im Trotzdem angesichts einer pessimistischen Lagenbeurteilung liegen die Möglichkeiten zu individuellen Lösungen, das war die Konzeption des dialektischen Theaters, und nicht in einem unverbindlichen Optimismus, der zur Flucht vor den inhumanen Bedingungen in der Realität führt und fruchtbare Eigenaktivitäten unterdrückt.

Das Lustspiel *Die Schule von Uznach* aus den Jahren 1925/26 konnte zunächst noch einmal an die großen Aufführungserfolge der Bürgerkomödien anknüpfen. Ein dauerhafter Publikumserfolg blieb dem Stück allerdings versagt, das 1929, erst zwei Jahre nach der Uraufführung, zum letztenmal gespielt wurde. Der anfängliche Erfolg muß daher als vornehmlich zeitbedingt angesehen werden. Aufschluß über die anfänglich gute Aufnahme beim Publikum gibt bereits der Untertitel „Neue Sachlichkeit“, ein Begriff, von Hartlaub 1925 für die Kunstgeschichte geprägt, und von Sternheim auf die Literatur übertragen.

Der erste Weltkrieg hatte zu einer radikalen Ernüchterung geführt. An die Stelle des Kaisers als personalen Machtzentrums waren in Gestalt der Parteien partikularistische Gruppen getreten, die nicht länger Ideale, sondern sachliche Interessen vertraten.[11] Der gewandelte zeitgeschichtliche Hintergrund bedingte eine wachsende Skepsis gegenüber den utopischen Entwürfen des Expressionismus, dessen hochfliegendes Pathos von der brutalen Realität ad absurdum geführt worden war. In zunehmendem Maße begann man sich auf die von der Wirklichkeit des Alltäglichen geschaffenen Bedingungen zurückzubesinnen. So greift auch Sternheim in dem genannten Stück ganz konkret die

Problematik der Landerziehungsheime heraus und unterzieht sie in ihren erziehlichen Leitlinien einer deutlichen Kritik. Über die Landerziehungsheime schrieb Sternheims Sohn Carlhans später, indem er bezugnahm auf Paul Geheeb, den Leiter der Odenwald-Schule: „Er hatte bewiesen, es komme, um das durch körperliche Minderwertigkeitskomplexe entmutigte tänzerische Gewissen zu heben, vor allem darauf an, das verdrängte Geltungsbedürfnis zu enthemmen ...“[12] Sternheim attackiert in seinem Lustspiel die erotische Hemmungslosigkeit der Mädchen nach dem Krieg, ohne allerdings jemals die kritische Intensität seiner Bürgerkomödien zu erreichen. Zum einen ist der Anlaß der Kritik nicht umfassend genug, und zum andern sind die versuchten Parodien exaltierter Sprache zu artifiziell, um bleibende und zündende Wirkungen zu erzielen.

Wie schon in dem Stück *Der entfesselte Zeitgenosse* gibt sich auch Sternheim hier nicht mit der Negation zufrieden, sondern ist bestrebt, dem Zustand sittlicher Zerrüttung ein Idealbild sittlicher Harmonie entgegenzustellen, das der neuen Sachlichkeit offenbar entsprechen soll.[13] An die Stelle der utopischen Entwürfe vom Menschen treten Natürlichkeit, Hilfsbereitschaft, Mütterlichkeit und das Bedürfnis, dem anderen in der Liebe das Gefühl der Geborgenheit zu geben. Andresen, Lehrer in Uznach, formuliert stellvertretend für alle, die in den Wandel miteinbezogen sind; „Durch unsere Exzesse der Affektation erzwangen wir den großen Gegenstoß empörter Natur.“[14] Der Katzenjammer im Gefühl der offenbaren Folgenlosigkeit seiner negierenden Kritik führt Sternheim zur Gestaltung eines neuen utopischen Harmoniemodells gemüthafter Werte, die in dem sektiererischen Rahmen der Schule von Uznach ihre Entsprechung finden. Unter Sachlichkeit ist somit die Hingabe an die eigene Natur und an die menschlich-soziale Umwelt zu verstehen unter Ausschaltung eines auf den persönlichen Vorteil ausgerichteten Handelns. Die Schule von Uznach wird zu einer Oase der schönen Innerlichkeit, wohlweislich isoliert von den bedrängenden Problemen der spätkapitalistischen Gesellschaft. Auf das Bewußtsein der Ohnmacht vor den eigentlichen politischen und wirtschaftlichen Herrschaftsstrukturen der Zeit und aus Enttäuschung über die bisherige Fruchtlosigkeit des eigenen kritischen Bemühens reagiert Sternheim mit dem Rückzug ins Gemüt. Hier scheint auch der eigentliche Grund für die vorübergehende Beliebtheit des Stücks beim Publikum zu liegen, das ähnlich wie Sternheim die eigene Ohnmacht verspürte und begierig auf Ersatzbefriedigungen war, die jedoch bekanntlich immer nur eine flüchtige Linderung verschaffen können. Was der abstrakte Individualist Klette und Oskar Wilde, der Prediger der Individualität, nicht leisten konnten, schafft das gemüthafte Happy-End in der Schule von Uznach, wo die Liebenden sich zum Schluß nach Überwindung der Affektationen glücklich in die Arme sinken.

Gemeinsam ist den drei Stücken, die als typisch für das Sternheimsche Spätwerk angesehen werden können, das positive Lösungsangebot im Gegensatz zu den in der Negation verharrenden Bürgerkomödien. Die utopischen Entwürfe individuellen Lebens sind letztlich wie alle anderen idealen Konstrukte einer besseren Welt dazu angetan, die Erkenntnis der realen Bedingungen, unter denen solche Lösungen einer Realisierung nur nahegebracht werden können, zu verstellen. „Die Logik des Kunstwerks", formuliert Athanas Natew in bezug auf den Rezipienten, „stellt ihm eine Aufgabe, deren Lösungsmethoden er frei wählen darf, deren Bedingungen jedoch vorgegeben sind. Dabei wird der Rezipient unmerklich zu einer spezifischen Überprüfung seiner immanenten Einstellung zur Welt veranlaßt."[15]

Gerade die Frage nach den Möglichkeiten der Individuation unter den gegebenen sozialen Umfeldbedingungen wird durch die Ausmalung des Idealzustandes unterdrückt. Aus der erkenntnisfördernden systemkritischen Negation der Bürgerkomödien ist in den späteren Bühnenwerken ein erkenntnishemmendes systemstabilisierendes Surrogat für erlittenes Unrecht an den individuellen Ansprüchen geworden. „Aber niemand lehrt das Wissen um das gesellschaftliche Leben und um das Leben schlechthin wie unsere Kunst, die Dichtkunst", schreibt Heinrich Mann. „Denn sie lehrt es auf dem Weg der Erfahrung, da Dichtung das Leben selbst, vermehrt durch Erkennbarkeit ist."[16] Die Verhinderung der Erkennbarkeit bestehender Verhältnisse ist der entscheidende Vorwurf, der dem späteren Bühnenwerk Sternheims nicht erspart werden kann, und sicher ist das moderne Theater gut beraten, die Rezeption Sternheims wie bisher auf die Bürgerkomödien zu beschränken. Nur in den Bürgerkomödien liegt über die historische Bedingtheit hinaus die Chance zu aktuellen Antworten auf die Fragen und Probleme einer spätkapitalistischen Gesellschaft, als deren Diagnostiker in einer relativ frühen Phase Sternheim vor allem gelten dürfte.

IX. ENTHÜLLUNG UND OPPOSITION: STERNHEIMS STELLUNG IM GEISTESLEBEN DER ZEIT

Trotz des künstlerischen Versagens bleibt auch im späten Bühnenwerk die eigentliche Intention Sternheims spürbar: Die Enthüllung des individuellen Anspruchs angesichts einer scheinbar übermächtigen Umgebung. Die Auswirkungen der zweiten industriellen Revolution, die Ernüchterung im Gefolge naturwissenschaftlicher Entdeckungen und Erkenntnisse, das Bewußtsein politischer Ohnmacht und die Enge bürgerlicher Moralvorstellungen übten einen wachsenden Druck auf den einzelnen aus, der den Härten seines sozialen Umfeldes zu erliegen drohte. So spricht Hofmannsthal von der „Übergewalt der technischen Ereignisse"[1] und Trakl empfindet „eine große Angst und beispiellose Entäußerung" und fühlt sich einer „fürchterlichen Ohnmacht"[2] unterworfen.

Aus dem Gefühl des Ausgeliefertseins an eine Welt der Fremdbestimmungen erwächst für viele das Bedürfnis nach Enthüllung des individuellen Kerns im Menschen, um von daher zu einer befriedigenderen Antwort auf die Kardinalfrage nach der Verwirklichung des menschlichen Glücksanspruchs zu gelangen. In diesem Sinne spricht Arnold Hauser von der „Krisenstimmung des Zeitalters", und bezogen auf Marx, Nietzsche und Freud fährt er fort: „Sie entdeckten, jeder auf die eigene Art, daß die Selbstbestimmung des Geistes eine Fiktion ist und daß wir die Sklaven einer Macht sind, die in uns und oft gegen uns arbeitet."[3] Marx hatte bereits in der Blüte des Hochkapitalismus von der Entfremdung des Menschen gesprochen. Die tote Arbeit in Gestalt des Kapitals beginnt ihre Herrschaft über den einzelnen anzutreten. Menschliche Schöpfungen treten an die Stelle des konkreten Subjekts und unterwerfen es scheinbar objektiven Zwängen. Immer bedrohlicher stellt sich die Gesellschaft dem Individuum als fremde Macht entgegen und liquidiert seinen Freiheitsanspruch. Marx beeinflußte das Denken um die Jahrhundertwende nachhaltig, was unter anderem Wilbrandts Marxbuch zeigt, das Sternheim unter die zwölf wertvollsten Bücher rechnete. Vom sozialkritischen Dichter Gerhart

Hauptmann bis zur dichtenden Frauenrechtlerin Adele Gerhard reichte der Verehrerkreis. In den Schriften von Marx war offenbar ein Kernproblem auch der wilhelminischen Zeit angesprochen: das der Selbstentfremdung des Menschen unter dem Druck industriell-kapitalistischer Herrschaftsverhältnisse. Sie galt es einer schonungslosen Kritik zu unterwerfen, so daß der Blick wieder frei werden konnte für die Bedürfnisse und die Ansprüche des einzelnen.

Das Erlebnis der Unterdrückung des Individuums führte Nietzsche zum utopischen Entwurf des Übermenschen, der den „öffentlich meinenden Scheinmenschen" überwinden sollte. In den Gedankengängen des für die Jahrhundertwende wohl folgenreichsten Philosophen spielen der Begriff der Verstellung und die Intention der Enthüllung eine übergeordnete Rolle. „Der Intellekt, als ein Mittel zur Erhaltung des Individuums, entfaltet seine Hauptkräfte in der Verstellung ... Im Menschen kommt diese Verstellungskunst auf ihren Gipfel: Hier ist die Täuschung, das Schmeicheln, Lügen und Trügen."[4] Der bürgerlich-kapitalistische Zeitgeist ist es im letzten auch hier, der den Glücksanspruch des einzelnen unterdrückt und immer neue Ideologien hervorbringt, um diese Unterdrückung zu legitimieren. Wilhelm Dilthey versteht Nietzsches Philosophie unter Einschluß der Positionen der sogenannten Lebensphilosophen im Sinne eines individuellen Befreiungsprozesses: „Die einzige sichere Probe für die Beziehungen, welche sie aufsuchen, liegt nur in den spärlichen Momenten solcher Beziehungen des Verborgenen in uns und dem, was auf uns wirkt ..."[5] Der Gedanke der Enthüllung des Verborgenen in uns, des individuellen Kerns, erlangte in einer Zeit zunehmender Selbstentfremdung zentrale Bedeutung. So erscheint Nietzsche auch Sternheim als „einziger freier Deutscher"[6], der den ideologischen Charakter geltender Moralvorstellungen durchschaut hat.

In die Reihe der Enthüllungsversuche gehört schließlich auch die Psychoanalyse Sigmund Freuds, der die restriktive Sexualmoral der Gesellschaft verantwortlich macht für die Frustration des Willens zur Selbstaneignung. Die Verzerrung des menschlichen Selbstbildes reicht für ihn bis zu pathologischen Konsequenzen.

Auf diesem problemgeschichtlichen Hintergrund sind auch insbesondere die Bürgerkomödien Sternheims anzusiedeln. In der Negation sollen die Schichten der anonymen Sachzwänge, der ideologischen Verstellungen und der persönlichen Restriktionen abgetragen werden, bis der individuelle Kern humaner Existenz wieder freigelegt ist. Erst dann verlieren die bürgerlich-kapitalistischen Legitimationen ihre opake Kraft, und erst dann kann das Verhältnis zwischen dem einzelnen und der Gesellschaft neu bestimmt werden. Sternheims beste Komödien sind Versuche, die verschüttete Individualität im Rezipienten durch die Freisetzung eines Reflexionsprozesses zu enthüllen. Die geltenden Machtverhältnisse in wilhelminischer Zeit drängten die von intellektueller Seite immer erneut vorgetragenen Enthüllungsversuche, die auf eine Vergrößerung des individuellen Lebensraums abzielten, von vornherein in die Opposition.

„Die neue Dichtung," führt Wolfdietrich Rasch aus, „hatte es ebenso schwer wie die bildende Kunst, sich bei den herrschenden Mächten Geltung zu verschaffen. Sie stand in Opposition gegen die wilhelminische Gesellschaft."[7] Aus der Enthüllung des individuellen Kerns erwächst der Widerstand gegen eine Gesellschaft, in der nach Sternheims Worten „Über das vernünftige und selbstverantwortliche Individuum der Stab gebrochen"[8] war.

Was man unter Kunst zu verstehen hatte, bestimmte der Ganghofer-Leser Wilhelm II.: „Eine Kunst, die sich über die von Mir bezeichneten Gesetze und Schranken hinwegsetzt, ist keine Kunst mehr ... uns, dem deutschen Volke, sind die großen Ideale zu dauernden Gütern geworden. ..."[9] Wo die großen Ideale, die von den Oppositionellen als ideologische Verbrämungen realer Machtverhältnisse angeprangert wurden, verletzt erschienen wie bei der Uraufführung von Hauptmanns *Die Weber*, kündigte der Kaiser die Loge im Deutschen Theater und vergab den Schiller-Preis anstatt an den sozialkritischen Hauptmann an den Hohenzollern-Enthusiasten Wildenbruch, der ihn damit bereits zum zweitenmal erhielt. Die Dichtungen sozialkritischer Autoren wie Heinrich Manns oder Frank Wedekinds wurden mit Gotteslästerung und Majestätsbeleidigung in Verbindung gebracht und mit harten Verboten belegt. Hochgelobt wurden dagegen die harmlosen, letztlich systemstabilisierenden Werke von bestenfalls zweitklassigen Literaten wie Otto Ernst, Ludwig Fulda, Rudolf Herzog und Joseph Lauff. Letzterer wurde vom Kaiser sogar geadelt. „Der Dichter, genauer: der Dichter der Moderne", folgert Hans Schwerte zutreffend, „wurde endgültig zum Opponenten der Gesellschaft, zu ihrem Außenseiter ..."[10]

Die Opposition von Kunst und Gesellschaft, von Sternheim bewußt vorangetrieben, schlug aber auch auf ihn zurück. So durfte *Die Hose* zunächst auf Grund eines Verbots des Berliner Polizeipräsidenten aus Gründen der Sittlichkeit nicht aufgeführt werden, am *Snob* wurden von den Behörden Unsittlichkeiten entdeckt, was einige Streichungen notwendig machte, und *1913* durfte während des ersten Weltkrieges überhaupt nicht aufgeführt werden, weil von Seiten der Behörden Störungen des inneren Friedens befürchtet wurden.

Sternheim hat sich jedoch nie entmutigen lassen, gegen die eigene Zeit Stellung zu beziehen. Noch sein positives Heldentheater ist ein Aufruf an sein Publikum, anders zu werden, als der uniformierende Geist der wilhelminischen Ära es erwartete. Am deutlichsten ist sein Affront gegen den Ungeist seiner Epoche allerdings in den als dialektisches Theater bezeichneten Komödien. Hier werden die systemimmanenten Widersprüche transparent, die zur Quelle der Veränderungen werden sollten.

Die negierende Darstellung negativer Welt ist zugleich Enthüllung und Opposition. Opposition, weil die bürgerlich-kapitalistische Welt im Lichte dieser Darstellung als wesenlos und im letzten entindividualisiert erscheint, und Enthüllung, weil die Negation der Negation das Wesentliche, d. h. den menschlichen Anspruch auf Selbstaneignung wieder zutage fördert. Mit dem dialektischen Theater hatte Sternheim eine Gestaltungsform gefunden, die dem Bedürfnis seiner Zeit nach Selbstbestimmung zutiefst entsprach. Eine solche Selbstbestimmung im Sinne eines Gesundungsprozesses konnte aber nur dann in Gang gesetzt werden, wenn zunächst eine schonungslose Diagnose gestellt wurde, die die eigentlichen Krankheitsherde offen ansprach. In diesem Zusammenhang bezeichnet sich Sternheim als „Arzt am Leibe seiner Zeit", der mit dem Appell an den Überlebenswillen des Individuums eine Therapie einzuleiten versuchte, die nur durch die Eigenaktivität jedes einzelnen zum Erfolg geführt werden konnte.

Es galt, in der Vermassung der Industriegesellschaft den Blick wieder zu schärfen für die Notwendigkeit der Individuation, denn der Mensch ist „auf Individualität und Selbstbestimmung angelegt. Diese veranlassen ihn, seine Einmaligkeit zu bewahren, sich selbst darzustellen."[11] Dazu war es nötig, in Opposition gegen die geltenden gesellschaftlichen Normvorstellungen die drohenden Entfremdungen abzuwehren und auf die Enthüllung des individuellen Kerns hinzuwirken. „In unserem Zeitalter", schreibt Sternheim, „kann die über alles notwendige Umwälzung des Bestehenden zwei Wege gehen: entweder empören sich endlich nachdrücklich die platt gewalzten Massen gegen Methoden, die von einer in allem außer dem Kapital beschränkten Minderheit gegen sie angewandt werden, mit neuen Mitteln, die der Allgemeinheit die notwendigen wirtschaftlichen und geistigen Genüsse und Freiheiten bringen, wozu aber, wie Erfahrung zeigte, ein Marxismus bei weitem nicht ausreicht (der längst wieder für strengste Kritik reif ist) oder das revolutionäre, das ist – antiautoritäre Individuum, das aber nie Goethe, Schiller oder gar Gerhart Hauptmann heißt, rüttelt als Abbrecher an der herrschenden Ideologie, am Gesellschaftsfundament."[12]

Sternheim hat sich aus historisch begründeter Skepsis gegenüber der Effektivität von Massenrevolutionen für die letztgenannte Möglichkeit entschieden, indem er in seinen Bürgerkomödien das Individuelle auf dem Wege der Negation wiederbeleben wollte und indem er, wenn auch im ganzen künstlerisch mißlungen, in seiner zweiten Schaffenshälfte versuchte, das Publikum mit einem provozierenden Idealbild des Menschen zu konfrontieren.

In erster Linie sind es aber die Bürgerkomödien, die einen wesentlichen Beitrag auch zur gegenwärtigen fachdidaktischen Diskussion leisten, in der es nach Harald Weinrich vornehmlich um die Frage gehen sollte, „ob für den Literaturunterricht allenfalls ein negatives Lernziel ins Auge gefaßt werden kann. Es könnte etwa lauten: Irritation der (gesellschaftlichen) Begriffe durch sinnliche Anschauung." Weinrich fährt fort: „Es wäre nicht der erste Versuch, die Negativität als den unermeßlichen imaginären Freiraum der Literatur zu bestimmen."[13] In diesem Sinne läßt sich das Bühnengeschehen als die modellartige sinnliche Anschauung der spätkapitalistischen Gesellschaft begreifen. Ein solches Anschauungsmodell kann gerade auf Grund seiner komprimierten Darstellungsweise dazu führen, bestehende gesellschaftliche Praxis in Frage zu stellen.

X. SCHLUSS: LITERARISCHE UND WISSENSCHAFTLICHE ERKENNTNIS

In seinen *Gedanken über das Wesen des Dramas* äußert Sternheim: „Mit der Erkenntnis des Schaffenden, an irgendeiner Stelle irdischer Werteordnung ist ein Schaden sichtbar klaffend geworden, setzt mit empörter und eifernder Liebe die Arbeit ein, hierhin die allgemeine Aufmerksamkeit zu rufen und aus den in der Dichtung gegebenen Aufschlüssen im Sinne neuer Erkenntnis Heilung zu schaffen."[1] In dieser Stelle aus dem genannten mehrfach abgedruckten Aufsatz erscheint das literarische Programm Sternheims brennpunktartig zusammengefaßt. Die dichterische Arbeit wird provoziert durch die Erkenntnis des ethisch Schadhaften und führt zur transparenten Gestaltung negativer Realität, die den Rezipienten in die Lage versetzen soll, den ethischen Schaden zu erkennen.

Das dramatische Werk ist also im letzten ein ästhetisch gestalteter Widerlegungsversuch unmoralischer Welt, die durch die negierenden Attacken in Form komprimierter, künstlerisch aufbereiteter Wirklichkeitserfahrung im Bewußtsein des Rezipienten destruiert werden soll. Literarische Erkenntnis ist sowohl auf der Produktions- wie auf der Rezeptionsebene definiert durch ihre Negativität, die als dialektische Kraft zur Hervorbringung des ethisch Haltbaren fungiert.

Die Amputation des Humanen in der typisierenden Personendarstellung, die herrschaftsorientierte Ideologisierung menschlicher Kommunikation, die Liquidierung der zeitlich-progressiven Dimension zusammen mit der räumlichen Verengung des Blickwinkels und nicht zuletzt die Spiegelung einer ethisch orientierungslosen chaotischen Welt in der Fragmentarisierung der Komödienstruktur sind die Basisbedingungen für die Widerlegung einer entfremdeten Wirklichkeit, in der scheinbar objektive Fremdbestimmungen über die Selbstbestimmung des Individuums triumphieren. In grotesker Übersteigerung wird die Unhaltbarkeit eines Gesellschaftssystems vorgeführt, unter dessen Bedingungen das konkrete Subjekt zur Marionette verkümmert.

Die an der Negativität gesellschaftlicher Erscheinungen orientierte literarische Erkenntnis im Sinne Sternheims weist auffällige Parallelen zur modernen Erkenntnistheorie auf. Karl Popper, einer der profiliertesten Erkenntnistheoretiker der Gegenwart[2], führt über die von ihm entwickelte Methode des Erkennens aus: „Nach unserem Vorschlag kennzeichnet es diese Methode, daß sie das zu überprüfende System in jeder Weise einer Falsifikation aussetzt; nicht die Rettung unhaltbarer Systeme ist ihr Ziel, sondern: in möglichst strengem Wettbewerb das relativ haltbarste auszuwählen."[3] Dahinter verbirgt sich die Überzeugung, „daß wir von unseren Fehlern lernen können."[4]

Die Relation zwischen der literarischen Erkenntnis, wie sie Sternheim vorschwebte, und der Erkenntnistheorie Poppers liegen auf der Hand. Im Lichte der Ausführungen Poppers erscheinen Sternheims Komödien als falsifizierende Erkenntnisprozesse, gerichtet auf ein unhaltbares Gesellschaftssystem, mit dem letztlichen Ziel, ein haltbareres System zu etablieren. Die spätkapitalistische Gesellschaft läßt sich in diesem Sinn als der Entwurf menschlichen Zusammenlebens begreifen, der mit seinen Sachzwängen und ökonomisch bedingten Machtpositionen und inhumanen Positionskämpfen dauerhafte Geltung beansprucht, aber in der Komödie in seinem hypothetischen Charakter entlarvt wird. In der Negation weicht Sternheim die scheinbar petrifizierten gesellschaftlichen Gebilde auf, indem er sie wieder kritisierbar macht und aufzeigt, daß sich der spätkapitalistische Gesellschaftsentwurf im Hinblick auf die Selbstbestimmung des einzelnen nicht bewährt hat. So fordert auch Popper, allerdings bezogen auf wissenschaftliche Systeme: „Wir fordern zwar nicht, daß das System auf empirisch-methodischem Wege positiv ausgezeichnet werden kann, aber wir fordern, daß es die logische Form des Systems ermöglicht, dieses auf dem Wege der methodischen Nachprüfung negativ auszuzeichnen: Ein empirisch-wissenschaftliches System muß an der Erfahrung scheitern können."[5] In der wissenschaftlichen Erkenntnis und ebenso in der literarischen geht es also nach Poppers wie nach Sternheims Auffassungen nicht um die Formierung von Idealbildern, sondern um die Kritik des Bestehenden. Wissenschaft und Literatur zeichnen sich demnach im wesentlichen durch einen kritischen Rationalismus aus.

Nun läßt sich allerdings nicht leugnen, daß die Kritik am Bestehenden die Vorstellung eines besseren, wenn auch nicht idealen Zustands voraussetzt. In diesem Sinne war die Hypothese des Individualismus in den Bürgerkomödien implizit vorhanden, während sie im späteren Bühnenwerk explizit zutage trat. Hier ergibt sich eine weitere Parallele zu Poppers erkenntnistheoretischem Ansatz: „In den meisten Fällen hat man, bevor eine Hypothese falsifiziert wird, schon eine andere auf Lager: denn das falsifizierende Experiment ist gewöhnlich ein experimentum crucis, das zwischen den beiden Hypothesen entscheiden soll."[6] Bezogen auf Sternheim heißt das, daß die These des Individualismus die Fragerichtung der Kritik an der unter dem Druck des Kapitals entfremdeten Gesellschaft steuert. Erst in dieser Perspektive erweist sich die Unhaltbarkeit des den Selbstaneignungswillen frustrierenden Systems.

Die Komödie wird in der Tat zu einem falsifizierenden Experiment, das den Menschen in seiner Entfremdung zusammen mit den daraus erwachsenden Konsequenzen vor Augen stellt und damit eine Entscheidung herbeizuführen sucht für den Entwurf einer Gesellschaft, die ein größeres Maß an Selbstentfaltung des einzelnen erlaubt. Es geht also nicht um den Entwurf einer Individualitätsutopie im Sinne der absoluten Wahrheit, sondern um ein Mehr an Freiheit; oder anders ausgedrückt: um eine schrittweise Aktualisierung latenter vom System unterdrückter Möglichkeiten des Menschseins. An diesem Punkt treffen sich die wissenschaftlichen Zielvorstellungen Poppers mit den literaturdidaktischen Überlegungen der Gegenwart. Beide werden durch Sternheims Bürgerkomödien überzeugend und überraschend zugleich bestätigt. Popper formuliert unmißverständlich: „Niemals setzt sich die Wissenschaft das Phantom zum Ziel, endgültige Antworten zu geben..., sondern ihr Weg wird bestimmt durch ihre unendliche, aber keineswegs unlösbare Aufgabe, immer wieder neue, vertiefte und verallgemeinerte Fragen aufzufinden und die immer nur vorläufigen Antworten immer von neuem und immer strenger zu prüfen."[7] Ähnlich bestimmt Gerhard Kaiser den didaktischen Wert des Kunstwerks: „Der praxisfreie Raum des literarischen Kunstwerks verweist den Menschen durch Identifikation und Distanzierung auf seine Identität, gerade durch Verweigerung autoritärer Antworten und Lösungen ..."[8] Endgültige und autoritäre Antworten verweigert auch Sternheim in seinen Bürgerkomödien, indem er den Rezipienten die Entscheidung für die eigene Identität überläßt, nachdem er ihn durch die distanzierende Darstellung in die Lage versetzt hat, die Antwort, die die wilhelminische Zeit auf die Frage nach dem Verhältnis des Einzelnen und der Gesellschaft gefunden hatte, kritisch zu überprüfen. Die Negation als dominierendes Strukturmerkmal, das bis in äußerste Konsequenzen durchgespielte soziale Verhalten fremdbestimmter Menschen, rufen jedoch die Erkenntnis neuer und freierer Verhaltensweisen hervor, indem „das Befremdliche und Widersprüchliche in der Erfahrung des Bestehenden, das sonst in vagem Unbehagen nur erlitten würde, greifbar und begreifbar wird."[9]

Sternheims Bürgerkomödien enthalten im Rahmen der Literatur eine Erkenntnis, die mit der Erkenntnis der Wissenschaft vergleichbar ist, insofern beide eine Annäherung an die Wahrheit darstellen. In den gelungensten Bürgerkomödien Sternheims geht es um die soziale Wahrheit, daß das Bemühen um die eigene Identität die Voraussetzung ist für ein humaneres Zusammenleben. Dieses auf stete Änderung bedachte Bemühen in Gang zu setzen und als unabdingliche Voraussetzung menschlicher Existenz ins Bewußtsein zu heben, ist das erklärte Ziel der Bürgerkomödien. „Noch im sublimiertesten Kunstwerk", sagt Adorno, „birgt sich ein Es soll anders sein ... Als rein gemachte, hergestellte, sind Kunstwerke, auch literarische, Anweisungen auf die Praxis ...: Die Herstellung richtigen Lebens."[10]

ANMERKUNGEN

Vorwort

[1] Hans Steffen: Vorwort. In: Das deutsche Lustspiel I. Hrsg. v. H. Steffen. Göttingen 1968. S. 3. Der zweite Band folgte 1969.
[2] Cleanth Brooks/Robert B. Heilmann: Understanding Drama. New York 1966. S. 79.
[3] Vgl.: Benno v. Wiese: Deutsche Dramatiker des 20. Jahrhunderts. In: Formkräfte der deutschen Dichtung. Hrsg. v. H. Steffen. Göttingen 1963. S. 271—290.

I. Einleitung: Bisherige Deutungsansätze und Abgrenzungsversuche

[1] Wilhelm Emrich: Die Komödie Carl Sternheims. In: Der deutsche Expressionismus. Formen und Gestalten. Hrsg. v. H. Steffen. Göttingen 1965. S. 115. Die älteren Forschungsarbeiten zu Sternheim sollen in den entsprechenden Zusammenhängen zu Wort kommen.
[2] Ebd. S. 123
[3] Wolfgang Wendler: Carl Sternheim. In: Literaturlexikon 20. Jahrhundert. Bd. 3. Reinbek bei Hamburg 1971. S. 748. Vgl. auch die Dissertation Wendlers, die sich allerdings in erster Linie mit dem Prosawerk Sternheims auseinandersetzt: Carl Sternheim. Weltvorstellung und Kunstprinzipien. Frankfurt/M. 1966.
[4] Carl Sternheim: Gesamtwerk. Bd. 6. Hrsg. v. W. Emrich. Neuwied 1966. S. 19.
[5] Ebd. S. 31.
[6] Ebd. S. 47.
[7] Wolfgang Jahn: Sternheims Bürger in der ständischen Gesellschaft. In: Wissenschaft als Dialog. Hrsg. v. R. v. Heydebrand u. K. G. Just. Stuttgart 1969. S. 269.
[8] Winfried G. Sebald: Carl Sternheim: Kritiker und Opfer der Wilhelminischen Ära. Stuttgart 1969. S. 20.
[9] Ebd. S. 29.
[10] Ebd. S. 33.
[11] Sternheim: Gesamtwerk. Bd. 6. A. a. O. S. 429.
[12] Jürgen Frese: Phänomenologie. In: Lexikon für Theologie und Kirche Bd. 8. 2. Aufl. Freiburg 1963. Sp. 435.
[13] Käte Hamburger: Die phänomenologische Struktur der Dichtung Rilkes. In: Philosophie der Dichtung. S. 179—268.

[14] Vgl. Zoran Konstantinovic: Phänomenologie und Literaturwissenschaft. München 1973. S. 168.
[15] Gisela Schrey: Carl Sternheim – Kritiker und Opfer seiner Zeit. FH 26 (1971). S. 775.
[16] Hellmuth Karasek: Carl Sternheim: Velber bei Hannover 1965. S. 20.
[17] Sternheim: Gesamtwerk. Bd. 6. A. a. O. S. 38.
[18] Ebd. S. 316.
[19] Karasek: A. a. O. S. 83.
[20] Vgl. hierzu auch Rudolf Billetta: „Unabhängig von Gemeinschaftsidealen." Carl Sternheims bürgerliches Heldenleben. Biographie. Wien 1958.
[21] Sternheim: Gesamtwerk. Bd. 6. S. 315.
[22] Sternheim: Gesamtwerk Bd. 1. A. a. O. S. 282.

II. Die phänomenologische Struktur der Komödie

[1] Edmund Husserl: Ideen zu einer reinen Phänomenologie und phänomenologischen Philosophie. Hrsg. v. W. Biemel. Haag 1950. S. 60.
[2] Ebd. S. 161.
[3] Sternheim: Gesamtwerk. Bd. 6. A. a. O. S. 284.
[4] Ebd. S. 315.
[5] Ebd. S. 404.
[6] Ebd. S. 336.
[7] Ebd. S. 335.
[8] Vgl.: Einleitung. Anm. 11.
[9] Ebd. S. 315.
[10] Ebd. S. 339.
[11] Bruno Seidel: Die Wirtschaftsgesinnung des wilhelminischen Zeitalters. In: Zeitgeist im Wandel. Hrsg. v. H. J. Schoeps. Stuttgart 1967. S. 181.
[12] Sternheim: Gesamtwerk. Bd. 6. A. a. O. S. 138.
[13] Husserl: A. a. O. S. 60.
[14] Eda Sagarra: Tradition und Revolution. Deutsche Literatur und Gesellschaft 1830 bis 1890. München 1972. S. 338.
[15] Seidel: A. a. O. S. 181.
[16] Sternheim: Gesamtwerk. Bd. 1. A. a. O. S. 28.
[17] Ebd. S. 31.
[18] Ebd. S. 90.
[19] Ebd. S. 118.
[20] Ebd. S. 133.
[21] Ebd. S. 150.
[22] Sagarra: A. a. O. S. 341.
[23] Karasek: A. a. O. S. 31.
[24] Sternheim: Gesamtwerk. Bd. 1. A. a. O. S. 141.
[25] Ebd. S. 144.
[26] Ebd. S. 205.
[27] Ebd. S. 207.
[28] Ebd. S. 201.
[29] Das Wilhelminische Deutschland. Hrsg. v. G. Kotowski u. a. Frankfurt/M. 1965. S. 109.

[30] Sternheim: Gesamtwerk. Bd. 1. S. 203.
[31] Ebd. S. 213.
[32] Ebd. S. 232.
[33] Ebd. S. 227.
[34] Richard Hamann/Jost Hermand: Epochen deutscher Kultur von 1870 bis zur Gegenwart. Bd. 2. München 1972. S. 46.
[35] Sternheim: Gesamtwerk. Bd. 1. S. 224.
[36] Ebd. S. 285.
[37] Ebd. S. 300.
[38] Sternheim: Gesamtwerk Bd. 6. A. a. O. S. 78.
[39] Sternheim: Gesamtwerk Bd. 1. S. 417.
[40] Ebd. S. 418.
[41] Ebd. S. 417.
[42] Sternheim: Gesamtwerk Bd. 6. A. a. O. S. 72.
[43] Sternheim: Gesamtwerk Bd. 1. A. a. O. S. 481f.
[44] Hamann/Hermand: Epochen deutscher Kultur. Bd. 2. A. a. O. S. 192.
[45] Sternheim: Gesamtwerk Bd. 6. S. 81.
[46] Sternheim: Gesamtwerk Bd. 1. S. 524.
[47] Ebd. S. 553.
[48] Sternheim: Gesamtwerk Bd. 6. S. 71.
[49] Karasek: A. a. O. S. 25.
[50] Konstantinovic: A. a. O. S. 167.
[51] Franz Blei: Über Wedekind, Sternheim und das Theater. Leipzig 1915. S. 95.
Gerade von Franz Blei fühlte sich Sternheim in besonderem Maße verstanden, ein Umstand, dem noch weitere Beachtung zu schenken sein wird. „Trotz vielfacher öffentlicher Verbreitung durch den Druck", so führt Sternheim einmal aus, „hatte niemand gemerkt, wohin mit meinem Werk mein Wille ging. Der einzige Franz Blei drohte durch unbeherrschtes Entzücken von Zeit zu Zeit größere Aufmerksamkeit gegen mich zu entfesseln." (Sternheim: Gesamtwerk Bd. 6. A. a. O. S. 139.)
[52] Vgl.: Einleitung. Anm. 4.

III. Die Mächtigen, Mindermächtigen und die Machtlosen

[1] Bernhard Diebold: Anarchie im Drama. Frankfurt/M. 1921. S. 91.
Ähnlich hatte sich bereits Kuno Brombacher geäußert: „Als Karl Sternheim daranging, in gültigen Typen die Masse dieser Bürger zu definieren, zeigte sich, daß sie nur eine materielle Dimension wirklich haben, ihre geistigen und menschlichen Aspekte aber auf Fälschungen beruhen." (Der deutsche Bürger im Literaturspiegel von Lessing bis Sternheim. München 1920. S. 73f.).
[2] Vgl.: Max Stirner: Der Einzige und sein Eigentum. Stuttgart 1972. „Berechtigt oder unberechtigt — darauf kommt Mir's nicht an; bin ich nur mächtig, so bin Ich schon von selbst ermächtigt und bedarf keiner anderen Ermächtigung oder Berechtigung." (S. 230). Es ist bezeichnend für

die Zeit, daß Stirner um die Jahrhundertwende von J. H. Mackay wiederentdeckt und einer breiten Schicht zugänglich gemacht wurde.

[3] Sternheim: Gesamtwerk Bd. 6. S. 119.

[4] Ebd. S. 71.

[5] Ebd. S. 119.

[6] Alfred Weber: Kulturgeschichte als Kultursoziologie. München 1963. S. 432.

[7] Sternheim: Gesamtwerk Bd. 1. A. a. O. S. 89.

[8] Kuno Brombacher: A. a. O. S. 81.

[9] Sternheim: Gesamtwerk Bd. 2. A. a. O. S. 18f.

[10] Ebd. S. 21.

[10a] Sternheim: Gesamtwerk Bd. 1. A. a. O. S. 168.

[11] Ebd. S. 226.

[12] Ebd. S. 285.

[13] Ebd. S. 224.

[14] Ebd. S. 282.

[15] Ebd. S. 236.

[16] Brombacher: A. a. O. S. 77.

[17] Weber: A. a. O. S. 423.

[18] Sternheim: Gesamtwerk Bd. 1. S. 369.

[19] Ebd. S. 441f.

[20] Ernst Stadler: Gedichte und Prosa. Frankfurt/M. 1964 S. 130.

[21] Elise Dosenheimer: Das deutsche soziale Drama von Lessing bis Sternheim. Konstanz 1949. S. 305.

[22] Sternheim: Gesamtwerk Bd. 1. A. a. O. S. 374f.

[23] Ebd. S. 419.

[24] Richard Brinkmann: Sternheims Komödie „Bürger Schippel". In: Das deutsche Lustspiel II. Hrsg. v. Steffen. Göttingen 1969. S. 118. Differenzierter, wenn auch die sozioökonomischen Aspekte nur am Rande berücksichtigend, sind die Analysen von Otto Mann: In: Das deutsche Drama Bd. II. Hrsg. v. Wiese. Düsseldorf 1964; und von Jörg Joost: Carl Sternheim — Bürger Schippel — Prolet und Philister. In: Das deutsche Drama vom Expressionismus bis zur Gegenwart. Hrsg. v. Brauneck. Bamberg 1970.

[25] Franz Norbert Mennemeier: Ein lustiges Lustspiel? (Carl Sternheim). In: Modernes deutsches Drama Bd. 1. München 1973. S. 124.

[26] Ebd. S. 125.

[27] Sternheim: Gesamtwerk Bd. 6. A. a. O. S. 81.

[28] Brinkmann: A. a. O. S. 118.

[29] Sternheim: Gesamtwerk Bd. 6. S. 140.

[30] Ebd. S. 31.

[31] Bertolt Brecht: Gesammelte Werke 20. Frankfurt/M. 1967. S. 71.

[32] Sternheim: Gesamtwerk Bd. 6. A. a. O. S. 140.

Exkurs: Die Stellung der Frau

[1] Dosenheimer: A. a. O. S. 305.

[2] Sternheim: Gesamtwerk Bd. 1. S. 364f.

[3] Erich Fromm: Analytische Sozialpsychologie und Gesellschaftstheorie. Frankfurt/M. 1970. S. 175.
[4] Sternheim: Gesamtwerk Bd. 1. A. a. O. S. 398.
[5] Ebd. S. 260. Der zeitgenössische Soziologe Pareto führt aus: „Schon viele Male mußten wir bemerken, wie die sexuellen Residuen sich mit Erscheinungen, ähnlich den sogenannten religiösen, manifestieren ..." (Gottfried Eisermann: Vilfredo Paretos System der allgemeinen Soziologie. Einleitung, Texte und Anmerkungen. Stuttgart 1962. S. 100.)
[6] Sternheim: Gesamtwerk Bd. 1. S. 402.
[7] Ebd. S. 537.
[8] Wolfgang Fritz Haug: Kritik der Warenästhetik. Frankfurt/M. 1971. S. 142f.
[9] Sternheim: Gesamtwerk Bd. 2. A. a. O. S. 166.
[10] Simone de Beauvoir: Das andere Geschlecht. Sitte und Sexus der Frau. Hamburg 1968. S. 143.
[11] Eisermann: Vilfredo Paretos System der allgemeinen Soziologie. A. a. O. S. 100.
[12] Simone de Beauvoir: A. a. O. S. 151.
[13] Sternheim: Gesamtwerk Bd. 6. S. 354f.
[14] Ebd. S. 355.

IV. Verschleierung und Demaskierung: Zur Funktion von Dialog und Monolog

[1] Gerhard Bauer: Zur Poetik des Dialogs. Leistung und Formen der Gesprächsführung in der neueren deutschen Literatur. Darmstadt 1969. S 34.
[2] Gotthold Ephraim Lessing: Werke. Hrsg. v. F. Bornmüller. Leipzig und Wien o. J. S. 43.
[3] Arnold Hauser: Sozialgeschichte der Kunst und Literatur. München 1969. S. 628f.
[4] Sternheim: Gesamtwerk Bd. 2. A. a. O. S. 206f.
[5] Sternheim: Gesamtwerk Bd. 1. A. a. O. S. 48f.
[6] Wolfgang Fritz Haug: Kritik der Warenästhetik. Frankfurt/M. 1971. S. 73.
[7] Bauer: A. a. O. S. 37.
[8] Sternheim: Gesamtwerk Bd. 1. A. a. O. S. 173f.
[9] Ebd. S. 369.
[10] Bauer führt zur Konversation aus: „Da das Reden selbst, das möglichst kluge, geschickte, beziehungsreiche Setzen der Worte den Hauptzweck der Konversation bildet, können sich die Gesprächspartner auch mit einer rein verbalen Verbindung, mit einer hypothetischen, nur für diesen Wortaustausch angenommenen, auch als Fiktion durchschauten Gemeinsamkeit begnügen. (A. a. O. S. 53.).
[11] Sternheim: Gesamtwerk Bd. 1. A. a. O. S. 371.
[12] Ebd. S. 372.
[13] Ebd. S. 372.
[14] Ebd. S. 373.

[15] Hellmut Geißner: rhetorik. München 1973. S. 15.
[16] Jan Mukarovsky: Studien zur strukturalistischen Ästhetik und Poetik. München 1974. S. 193.
[17] Sternheim: Gesamtwerk Bd. 1. A. a. O. S. 225.
[18] Peter Pütz: Die Zeit im Drama. Zur Technik dramatischer Spannung. Göttingen 1970. S. 84.
[19] Sternheim: Gesamtwerk Bd. 1. S. 408.
[20] Ebd. S. 442.
[21] Pütz: A. a. O. S. 85.
[22] Walter Hinck: Das moderne Drama in Deutschland. Vom expressionistischen zum dokumentarischen Theater. Göttingen 1973. S. 215.
[23] Sternheim: Gesamtwerk Bd. 1. A. a. O. S. 503.
[24] Ebd. S. 553.
[25] Peter Szondi: Theorie des modernen Dramas. Frankfurt/M. 1967. S. 88.

V. Die theatralische Präsentation: Zur Problematik der Gestaltung von Handlung, Zeit und Raum

[1] Peter Haida: Komödie um 1900. München 1973. S. 109.
[2] Klaus Ziegler: Das deutsche Drama der Neuzeit. In: Dt. Phil. i. Aufr. Hrsg. v. W. Stammler. Berlin/Bielefeld/München 13.—15. Lieferung. Sp. 962.
[3] Marianne Kesting: Das epische Theater. Stuttgart 1959. S. 74.
[4] Eckehard Catholy: Das deutsche Lustspiel. Bd. 1. Vom Mittelalter bis zum Ende der Barockzeit. Stuttgart 1969. S. 9.
[5] Haida: A. a. O. S. 123.
[6] Ebd. S. 124.
[7] Fritz Strich: Deutsche Klassik und Romantik. 4. Aufl. Bern 1949. S. 321.
[8] Volker Klotz: Geschlossene und offene Form im Drama. München 1972. S. 41.
[9] Goethes Werke Bd. 3. Hrsg. v. E. Trunz. 4. Aufl. Hamburg 1957. S. 57.
[10] Sternheim: Gesamtwerk Bd. 1. A. a. O. S. 90.
[11] Ebd. S. 142.
[12] Ebd. S. 455.
[13] Ebd. S. 455.
[14] Klaus Günther Just: Von der Gründerzeit bis zur Gegenwart. Die deutsche Literatur der letzten Jahre, dargestellt im Zusammenhang politischer, kultureller und gesellschaftlicher Aspekte. Bern u. München 1973. S. 5.
[15] Sternheim: Gesamtwerk. Bd. 1. A. a. O. S. 89.
[16] Ebd. S. 234.
[17] Ebd. S. 33.
[18] Ebd. S. 33.
[19] Karl Ludwig Schneider hat sich ebenfalls mit der Raumgestaltung bei Sternheim auseinandergesetzt. Er schreibt: „Der Wohnraum und die anhängliche Liebe zu seiner Ausstattung repräsentiert eine Mentalität, für die das zähe Festhalten am Vorgefundenen, die Beschränkung auf genormte Gefühle und vor allem die Angst vor der geistigen Beunruhi-

gung charakteristisch sind.“ (Des Bürgers gute Stube. Anmerkungen zur Raumsymbolik in Sternheims *Bürger Schippel* und Kaisers *Von morgens bis mitternachts*. In: Wissenschaft als Dialog. Hrsg. v. R. v. Heydebrand u. K. G. Just. A. a. O. S. 244.) Schneiders Andeutungen müssen jedoch vage bleiben, da er weder den kapitalistisch-industriellen Hintergrund noch die Verflochtenheit von Zeit- und Raumgestaltung berücksichtigt.

[20] Sternheim: Gesamtwerk Bd. 1. A. a. O. S. 168.
[21] Hamann/Hermand: Gründerzeit. A. a. O. S. 23.
[22] Sternheim: Gesamtwerk Bd. 1. A. a. O. S. 512.
[23] Ebd. S. 523.
[24] Ebd. S. 545.
[25] Klotz: A. a. O. S. 124.
[26] Sternheim: Gesamtwerk Bd. 1. A. a. O. S. 552.
[27] Paul Rilla: Literatur. Kritik und Polemik. Berlin 1953. S. 90. Ähnlich äußert sich auch Helmut Prang: „Eine gewisse Nüchternheit des scharf Sezierenden und schonungslos Enthüllenden teilt sich dem Zuschauer mit. Es zeigt sich — trotz Wilhelm Emrichs Aufsatz — kein liebevolles Verstehen oder gar Mitempfinden mit den Schwächen der Menschen, sondern eher ein bitterer Hohn über die philiströse Verlogenheit der bürgerlichen Gesellschaft während des Wilhelminischen Kaiserreichs, auf die er es ganz besonders abgesehen hat . . .“ (Geschichte des Lustspiels. Von der Antike bis zur Gegenwart. Stuttgart 1968. S. 329.)

VI. Zur Funktion des Sprechstils in den Komödien

[1] Albert Soergel: Dichtung und Dichter der Zeit. Neue Folge. Im Banne des Expressionismus. 4. Aufl. Leipzig 1927. S. 655.
[2] Sebald: Carl Sternheim. A. a. O. S. 74—97.
[3] Die Zeit. Nr. 3. 11. Januar 1974. S. 14.
[4] So spricht Emrich von der „nichts verklärenden Härte und Dichte“ der Sternheimschen Diktion. (Sternheim: Gesamtwerk Bd. 1. A. a. O. S. 11.)
[5] Sternheim: Gesamtwerk Bd. 6. A. a. O. S. 97.
[6] Blei: Über Wedekind, Sternheim und das Theater. A. a. O. S. 92.
[7] Diebold: Anarchie im Drama. A. a. O. S. 79.
[8] Sternheim: Gesamtwerk Bd. 1. A. a. O. S. 32.
[9] Erwin Rotermund: Die Parodie in der modernen deutschen Lyrik. München 1963. S. 28.
[10] Sternheim: Gesamtwerk Bd. 1. A. a. O. S. 90.
[11] Hamann/Hermand: Gründerzeit. A. a. O. S. 143—153.
[12] Paul Ernst: Der Zusammenbruch des deutschen Idealismus. 3. Aufl. München 1931. (Erstveröffentlichung 1919) S. 10.
[13] Sternheim: Gesamtwerk Bd. 1. A. a. O. S. 471.
[14] Ebd. S. 491.
[15] Ebd. S. 420.
[16] Ebd. S. 199.
[17] Ebd. S. 224.
[18] Ebd. S. 161.

[19] Ebd. S. 162.
[20] Ebd. S. 163f.
[21] Ebd. S. 164.
[22] Sternheim: Gesamtwerk Bd. 2. A. a. O. S. 164.
[23] Ebd. S. 165.
[24] Ebd. S. 226.
[25] Ebd. S. 170.
[26] Ebd. S. 243.
[27] Ebd. S. 245.
[28] Ebd. S. 246f.
[29] Vgl.: Sternheim: Gesamtwerk Bd. 6. A. a. O. S. 97—98.
[30] Ebd. S. 33.
[31] Diebold: Anarchie im Drama. A. a. O. S. 82. Vgl. auch: Karl Bädeker: Rheinreise von Basel bis Düsseldorf. Erstveröffentlichung: Koblenz 1849.
[32] Sternheim: Gesamtwerk Bd. 1. A. a. O. S. 481.
[33] Ebd. S. 442.
[34] Ebd. S. 386.
[35] Ebd. S. 376.
[36] Ebd. S. 409.
[37] Ebd. S. 441f.
[38] Ebd. S. 533.
[39] Ebd. S. 77.
[40] Ebd. S. 70.
[41] Ebd. S. 334.
[42] Ebd. S. 335.
[43] Ebd. S. 335.
[44] Sternheim: Gesamtwerk Bd. 6. A. a. O. S. 34.
[45] Sternheim: Gesamtwerk Bd. 1. A. a. O. S. 264.
[46] Seidel: Die Wirtschaftsgesinnung des wilhelminischen Zeitalters. A. a. O. S. 179.
[47] Marxistisch-leninistisches Wörterbuch der Philosophie. Hrsg. v. G. Klaus und M. Buhr. Reinbek bei Hamburg 1972. S. 291.
[48] Karl Holl: Geschichte des deutschen Lustspiels. Leipzig 1923. S. 335.
[49] Ebd. S. 335. Vgl.: Diebold: A. a. O.: „Er (Sternheim) tötet den bourgeoisen Schwulst mit dem Literaturjargon." (S. 88)
[50] Diebold: Anarchie im Drama. A. a. O. S. 87.

VII. Von der satirischen Komödie zum dialektischen Theater

[1] Franz Norbert Mennemeier: Carl Sternheims Komödie der Politik. In.: DVjs. 44 (1970). S. 704—726.
[2] Reinhold Michael Lenz: Gesammelte Schriften Bd. 2. Hrsg. v. F. Blei. München und Leipzig 1909. S. 333.
[3] Blei: Über Wedekind, Sternheim und das Theater. A. a. O. S. 92.
[4] Catholy: Das deutsche Lustspiel. A. a. O. S. 10.
[5] Ebd. S. 9.

[6] Hans-Egon Hass: Lessings Minna von Barnhelm. in: Das deutsche Lustspiel I. Hrsg. v. H. Steffen. A. a. O. S. 41.
[7] Hans Steffen: Hofmannsthals Gesellschaftskomödie „Der Schwierige". In: Das deutsche Lustspiel II. Hrsg. v. H. Steffen. A. a. O. S. 143.
[8] Sternheim: Gesamtwerk Bd. 6. A. a. O. S. 213.
[9] Ebd. S. 212.
[10] Ebd. S. 213. Vgl. auch F. Blei, der über die Posse schreibt: „Ihre Verfasser schwindelten in den Ausgang das dem Bürger Sympathische ... in menschlichen Banalitäten wie Aussöhnung, Heirat, Besserung usw. hinein, um in übertriebener Angst vor ihren possenhaften Kühnheiten die bürgerlichen Dehors zu wahren." (Blei: A. a. O. S. 89).
[11] Matthew Hodgart: Die Satire. München 1969. S. 199. Es hat daher auch wenig Sinn, wenn man wie Helga Vormus von der Absorption des Satirischen durch das Komische als höhere Potenz spricht. Helga Vormus: Sternheim in neuer Sicht? In: Etudes Germaniques 22 (1967). S. 81—86.
[12] Leonard Feinberg: The Satirist. Ames (Iowa) 1963. S. 7.
[13] Ebd. S. 7.
[14] Holl: Geschichte des deutschen Lustspiels. A. a. O. S. 333.
[15] Peter Uwe Hohendahl: Das Bild der bürgerlichen Welt im expressionistischen Drama. Heidelberg 1967. S. 119.
[16] Ivan Nagel: Der Dramatiker Carl Sternheim. In: Die neue Rundschau. 75 (1964). S. 481.
[17] David Myers: Carl Sternheim: Satirist or the Creator of Modern Heroes? In: Monatshefte. Vol. 65. 1. 1973. S. 46.
[18] Sternheim: Gesamtwerk Bd. 6. A. a. O. S. 139.
[19] Hinck: Das moderne Drama in Deutschland. A. a. O. S. 92.
[20] Vgl.: Winfried Freund: Die deutsche Verssatire im Zeitalter des Barock. Düsseldorf 1972. S. 166f.
[21] Friedrich v. Schiller: Sämtliche Werke (Säkularausgabe). Hrsg. v. E. v. d. Hellen. Bd. 12. Stuttgart und Berlin 1905. S. 193.
[22] Sternheim: Gesamtwerk Bd. 6. A. a. O. S. 185f.
[23] Vgl.: Kurt Tucholsky: Was darf die Satire? In: Gesammelte Werke Bd. 1. Reinbek bei Hamburg 1960.
[24] Theodor W. Adorno: Minima Moralia. Reflexionen aus dem beschädigten Leben. Frankfurt/M. 1962. S. 280.
[25] Helmut Arntzen: Deutsche Satire im 20. Jahrhundert. In: Deutsche Literatur im 20. Jhd. Bd. 1. Hrsg. v. O. Mann u. W. Rothe. 5. Aufl. Heidelberg 1967. S. 235.
[26] Ebd. S. 235.
[27] Ebd. S. 246.
[28] Hans Freyer: Die Gesetze des utopistischen Denkens. In: Utopie. Hrsg. v. A. Neusüss. Neuwied und Berlin 1968. S. 299.
[29] Sternheim: Gesamtwerk Bd. 6. A. a. O. S. 284.
[30] Gilbert Highet: The Anatomy of Satire. Princeton. New Jersey 1962. S. 19.
[31] Roland Paulson: The Fictions of Satire. Baltimore 1967. S. 76.
[32] Blei: Über Wedekind, Sternheim und das Theater. A. a. O. S. 86f.
[33] Sternheim: Gesamtwerk Bd. 6. A. a. O. S. 31.

[34] Blei: Über Wedekind, Sternheim und das Theater. A. a. O. S. 94.
[35] Klaus Günther Just: Über das Anstößige in der Literatur. In: Übergänge. Probleme und Gestalten in der Literatur. Bern und München 1966. S. 79.
[36] Hans Schwerte: Carl Sternheim. In: Deutsche Dichter der Moderne. Hrsg. v. B. v. Wiese. Berlin 1969. S. 461.
[37] Ebd. S. 460.
[38] Heinz Geiger: Bauelemente szenisch-theatralischer Texte. In: Grundzüge der Literatur- und Sprachwissenschaft Bd. 1. Hrsg. v. E. L. Arnold und V. Sinemus. München 1973. S. 242.
[39] Arntzen: Deutsche Satire im 20. Jh. A. a. O. S. 242.
[40] MEW Bd. 1. Berlin 1956. S. 381.
[41] Ebd. S. 344.
[42] Jürgen Frese: Dialektik. In: Historisches Wörterbuch der Philosophie Bd. 2. Hrsg. v. J. Ritter. Basel und Stuttgart 1971. S. 202.
[43] Walter Hinck: Das moderne deutsche Drama in Deutschland. A. a. O. S. 93.
[44] Karel Kosik: Dialektik des Konkreten. Frankfurt/M. 1967. S. 26.
[45] Ebd. S. 18.
[46] Harald Weinrich: Literatur für Leser. Essays und Aufsätze zur Literaturwissenschaft. Stuttgart 1971. S. 24.
[47] Sternheim: Gesamtwerk Bd. 6. A. a. O. S. 47.
[48] Ebd. S. 218.
[49] Ebd. S. 37f.
[50] Friedrich Dürrenmatt: Theater-Schriften und Reden. Zürich 1966. S. 63.
[51] Ebd. S. 124.
[52] Sternheim: Gesamtwerk Bd. 1. A. a. O. S. 102.
[53] Holl: Geschichte des deutschen Lustspiels. A. a. O. S. 304.
[54] Die Hessischen radikalen Blätter, herausgegeben von Carlo Mierendorff, erschienen 1919 bis 1921 in Darmstadt.
[55] Sternheim: Gesamtwerk Bd. 6. S. 91.
[56] Walter Benjamin: Charles Baudelaire. Ein Lyriker im Zeitalter des Hochkapitalismus. Hrsg. v. R. Thiedemann. Frankfurt/M. 1969. S. 126.
[57] Sternheim: Gesamtwerk Bd. 6. A. a. O. S. 91f.
[58] Kosik: Dialektik des Konkreten. A. a. O. S. 15.
[59] Bertolt Brecht: Die Dialektik auf dem Theater. In: Schriften zum Theater. Frankfurt/M. 1962. S. 196f.
[60] Jürgen Habermas: Technik und Wissenschaft als Ideologie. Frankfurt/M. 1969. S. 89.
[61] Martin Walser: Wie und wovon handelt Literatur. Aufsätze und Reden. Frankfurt/M. 1973. S. 119.

VIII. Zwischen Negation und Utopie: Ein Ausblick auf das spätere Bühnenwerk Sternheims

[1] Sternheim: Gesamtwerk Bd. 6. A. a. O. S. 222.
[2] Ebd. S. 220f.
[3] Sternheim: Gesamtwerk Bd. 3. A. a. O. S. 53.

[4] Ebd. S. 52.
[5] Ebd. S. 74.
[6] Ebd. S. 501.
[7] Karasek: Sternheim. A. a. O. S. 82.
[8] Sternheim: Gesamtwerk Bd. 3. A. a. O. S. 364.
[9] Rilla: Literatur, Kritik und Polemik. A. a. O. S. 97.
[10] Friedrich Dürrenmatt: Dramaturgisches und Kritisches. Zürich 1972. S. 130f.
[11] Vgl.: Just: Von der Gründerzeit bis zur Gegenwart. A. a. O. S. 378f.
[12] Carlhans Sternheim: Dichterkinder. In: Der Querschnitt 9 (1929). S. 167.
[13] Auch Herbert Ihering hat darauf hingewiesen, daß Sternheim, der Dichter der Negation, hier positiv zu werden versuche und sich dadurch verirre. Vgl.: H. Ihering: Von Reinhardt bis Brecht. Bd. 2. Berlin 1961.
[14] Sternheim: Gesamtwerk Bd. 3. A. a. O. S. 440.
[15] Athanas Natew: Das Dramatische und das Drama. Velber bei Hannover 1971. S. 73.
[16] Heinrich Mann: Dichtkunst und Politik. Erstdruck: Die Neue Rundschau 1928. Bd. II.
Neuabdruck: In: Literatur und Gesellschaft. Zur Sozialgeschichte der Literatur seit der Jahrhundertwende. Hrsg. v. B. Pinkerneil u. a. Frankfurt/M. 1973. S. 145.

IX. Enthüllung und Opposition: Sternheims Stellung im Geistesleben der Zeit

[1] Hugo v. Hofmannsthal: Prosa IV. Frankfurt/M. 1955. S. 76.
[2] Georg Trakl: Nachlaß und Biographie. Hrsg. v. W. Schneditz. Salzburg 1949. S. 19f.
[3] Hauser: Sozialgeschichte der Kunst und Literatur. A. a. O. S. 985.
[4] Friedrich Nietzsche: Werke Bd. VI. Musarionausgabe 1920-29. S. 76.
[5] Wilhelm Dilthey: Gesammelte Schriften Bd. VIII. Leipzig und Berlin 1923ff. S. 202.
[6] Sternheim: Gesamtwerk Bd. 6. A. a. O. S. 125.
[7] Wolfdietrich Rasch: Zur deutschen Literatur seit der Jahrhundertwende. Gesammelte Aufsätze. Stuttgart 1967. S. 6.
[8] Sternheim: Gesamtwerk Bd. 6. A. a. O. S. 113.
[9] Reden des Kaisers. Hrsg. v. E. Johann. dtv. dokumente. München 1966. S. 102.
[10] Hans Schwerte: Deutsche Literatur im wilhelminischen Zeitalter. In: Zeitgeist im Wandel. Hrsg. v. H. J. Schoeps. A. a. O. S. 122.
[11] Delbert Barley: Grundzüge und Probleme der Soziologie. Eine Einführung in das Verständnis des menschlichen Zusammenlebens. Neuwied und Berlin 1971. S. 33f.
[12] Sternheim: Gesamtwerk Bd. 6. A. a. O. S. 317f.
[13] Harald Weinrich: Gegen den restlos durchgeplanten Unterricht. In: Die Zeit. Nr. 25. 14. Juni 1974. S. 22.

X. Schluß: Literarische und wissenschaftliche Erkenntnis

[1] Sternheim: Gesamtwerk Bd. 6. A. a. O. S. 19.
[2] Vgl. Wolfgang Stegmüller: Hauptströmungen der Gegenwartsphilosophie. Stuttgart 1969. S. 397—402.
[3] Karl R. Popper: Logik der Forschung. (Erstveröffentlichung 1934). 5. Aufl. Tübingen 1973. S. 16.
[4] Ebd. S. XXV.
[5] Ebd. S. 15.
[6] Ebd. S. 54. Anm. 1.
[7] Ebd. S. 225.
[8] Gerhard Kaiser: Überlegungen zu einem Studienplan Germanistik. Literaturwissenschaftlicher Teil. In: Fragen der Germanistik. München 1971. S. 50.
[9] Dieter Seitz: Zur gegenwärtigen Diskussion über das Problem der literarischen Bildung. In: Reform des Literaturunterrichts. Eine Zwischenbilanz. Hrsg. v. H. Brackert und W. Raitz. Frankfurt/M. 1974. S. 100.
[10] Theodor W. Adorno: Gesammelte Schriften 7. Ästhetische Theorie. Frankfurt/M. 1970. S. 134.

LITERATURVERZEICHNIS

Adorno, Theodor W.: Minima Moralia. Reflexionen aus dem beschädigten Leben. Frankfurt/M. 1962.

—, Gesammelte Schriften 7. Ästhetische Theorie. Frankfurt/M. 1970.

Arntzen, Helmut: Deutsche Satire im 20. Jahrhundert. In: Deutsche Literatur im 20. Jahrhundert Bd. 1. Hrsg. v. O. Mann und W. Rothe. 5. Aufl. Heidelberg 1967.

—, Die ernste Komödie. Das deutsche Lustspiel von Lessing bis Kleist. München 1968.

Barley, Delbert: Grundzüge und Probleme der Soziologie. Eine Einführung in das Verständnis des menschlichen Zusammenlebens. Neuwied und Berlin 1971.

Bauer, Gerhard: Zur Poetik des Dialogs. Leistung und Formen der Gesprächsführung in der neueren deutschen Literatur. Darmstadt 1969.

Beauvoir, Simone de: Das andere Geschlecht. Sitte und Sexus der Frau. Hamburg 1968.

Bechtel, Heinrich: Wirtschafts- und Sozialgeschichte Deutschlands. Wirtschaftsstile und Lebensformen von der Vorzeit bis zur Gegenwart. München 1967.

Benjamin, Walter: Charles Baudelaire. Ein Lyriker im Zeitalter des Hochkapitalismus. Hrsg. v. R. Tiedemann. Frankfurt/M. 1969.

Billetta, Rudolf: Carl Sternheim. Diss. Wien 1950.

—, „unabhängig von Gemeinschaftsidealen“. Carl Sternheims bürgerliches Heldenleben. Wien 1958.

Blei, Franz: Über Wedekind, Sternheim und das Theater. Leipzig 1915.

Brecht, Bertolt: Gesammelte Werke 20. Frankfurt/M. 1967.

—, Schriften zum Theater. Frankfurt/M. 1962.

Brinkmann, Richard: Sternheims Komödie „Bürger Schippel“. In: Das deutsche Lustspiel II. Hrsg. v. H. Steffen. Göttingen 1969.

Brombacher, Kuno: Der deutsche Bürger im Literaturspiegel von Lessing bis Sternheim. München 1920.

Brooks, Cleanth/Heilmann, Robert: Understanding Drama. New York 1966.

Catholy, Eckehard: Das deutsche Lustspiel. Bd. 1. Vom Mittelalter bis zum Ende der Barockzeit.

Denkler, Horst: Drama des Expressionismus. Programm. Spieltext. Theater. München 1967.

Diebold, Bernhard: Anarchie im Drama. Frankfurt/M. 1921.

Dilthey, Wilhelm: Gesammelte Schriften Bd. VIII. Leipzig und Berlin 1923ff.

Dosenheimer, Elise: Das deutsche soziale Drama von Lessing bis Sternheim. Konstanz 1949.
Dürrenmatt, Friedrich: Theater-Schriften und Reden. Zürich 1966.
—, Dramaturgisches und Kritisches. Zürich 1972.
Eisermann, Gottfried: Vilfredo Paretos System der allgemeinen Soziologie. Einleitung, Texte und Anmerkungen. Stuttgart 1962.
Emrich, Wilhelm: Carl Sternheims „Kampf der Metapher". In: Geist und Widergeist. Frankfurt/M. 1965.
—, Die Komödie Carl Sternheims. In: Der deutsche Expressionismus. Formen und Gestalten. Hrsg. v. H. Steffen. Göttingen 1965.
Ernst, Paul: Der Zusammenbruch des deutschen Idealismus. 3. Aufl. München 1931.
Feinberg, Leonard: The Satirist. Ames (Iowa) 1963.
Frese, Jürgen: Phänomenologie. In: Lexikon für Theologie und Kirche Bd. 8. 2. Aufl. Freiburg 1963.
—, Dialektik. In: Historisches Wörterbuch der Philosophie Bd. 2. Hrsg. v. J. Ritter. Basel und Stuttgart 1971.
Freund, Winfried: Die deutsche Verssatire im Zeitalter des Barock. Düsseldorf 1972.
Freyer, Hans: Die Gesetze des utopischen Denkens. In: Utopie. Hrsg. v. A. Neusüss. Neuwied und Berlin 1968.
Fromm, Erich: Analytische Sozialpsychologie und Gesellschaftstheorie. Frankfurt/M. 1970.
Geiger, Heinz: Bauelemente szenisch-theatralischer Texte. In: Grundzüge der Literatur- und Sprachwissenschaft Bd. 1. Hrsg. v. H. L. Arnold und V. Sinemus. München 1973.
Geißner, Hellmut: rhetorik. München 1973.
Goethe, Johann W. v.: Werke. Bd. 3. Hrsg. v. E. Trunz. 4. Aufl. Hamburg 1957.
Habermas, Jürgen: Technik und Wissenschaft als Ideologie. Frankfurt/M. 1969.
Hagedorn, Klaus: Sternheim auf der deutschen Bühne. Diss. Köln 1963.
Haida, Peter: Komödie um 1900. München 1973.
Hamann, Richard/
Hermand, Jost: Epochen deutscher Kultur von 1870 bis zur Gegenwart Bd. 2. Naturalismus. München 1972.
Hass, Hans-Egon: Lessings Minna von Barnhelm. In: Das deutsche Lustspiel 1. Hrsg. v. H. Steffen. Göttingen 1968.
Haug, Wolfgang F.: Kritik der Warenästhetik. Frankfurt/M. 1971.
Hauser, Arnold: Sozialgeschichte der Kunst und Literatur. München 1969.
Highet, Gilbert: The Anatomy of Satire. Princeton 1962.
Hinck, Walter: Das moderne Drama in Deutschland. Vom expressionistischen zum dokumentarischen Theater. Göttingen 1973.
Hodgart, Matthew: Die Satire. München 1969.
Hofmannsthal, Hugo v.: Prosa IV. Frankfurt/M. 1955.
Hohendahl, Peter Uwe: Das Bild der bürgerlichen Welt im expressionistischen Drama. Heidelberg 1967.
Holl, Karl: Geschichte des deutschen Lustspiels. Leipzig 1923.

Husserl, Edmund: Ideen zu einer reinen Phänomenologie und phänomenologischen Philosophie. Hrsg. v. W. Biemel. Haag 1950.
Ihering, Herbert: Von Reinhard bis Brecht. Bd. 2. Berlin 1961.
Jahn, Wolfgang: Sternheims Bürger in der ständischen Gesellschaft. In: Wissenschaft als Dialog. Hrsg. v. R. v. Heydebrand und K. G. Just. Stuttgart 1969.
Joost, Jörg: Carl Sternheim — Bürger Schippel — Prolet und Philister. In: Das deutsche Drama vom Expressionismus bis zur Gegenwart. Hrsg. v. M. Brauneck. Bamberg 1970.
Just, Klaus Günther: Über das Anstößige in der Literatur. In: Übergänge. Probleme und Gestalten in der Literatur. Bern und München 1966.
—, Von der Gründerzeit bis zur Gegenwart. Die deutsche Literatur der letzten hundert Jahre, dargestellt im Zusammenhang politischer, kultureller und gesellschaftlicher Aspekte. Bern und München 1973.
Kaiser, Gerhard: Überlegungen zu einem Studienplan Germanistik. Literaturwissenschaftlicher Teil. In: Fragen der Germanistik. München 1971.
Karasek, Hellmuth: Carl Sternheim. Velber bei Hannover 1965.
Kesting, Marianne: Das epische Theater. Stuttgart 1959.
Klaus, Georg/Buhr,
Manfred (Hrsg.): Marxistisch-Leninistisches Wörterbuch der Philosophie. Bd. 1. Reinbek bei Hamburg 1972.
Klotz, Volker: Geschlossene und offene Form im Drama. München 1972.
Konstantinovic, Zoran: Phänomenologie und Literaturwissenschaft. München 1973.
Kosik, Karel: Dialektik des Konkreten. Frankfurt/M. 1967.
Kotowski, Georg u. a. (Hrsg.): Das wilhelminische Deutschland. Stimmen der Zeitgenossen. Frankfurt/M. 1965.
Lenz, Reinhold M.: Gesammelte Schriften. Bd. 2. Hrsg. v. F. Blei. München und Leipzig 1909.
Lessing, Gotthold E.: Werke. Hrsg. v. F. Bornmüller. Leipzig und Wien o. J.
Mann, Heinrich: Dichtkunst und Politik. In: Literatur und Gesellschaft. Zur Sozialgeschichte der Literatur seit der Jahrhundertwende. Hrsg. v. B. Pinkerneil u. a. Frankfurt/M. 1973.
Mann, Otto: Sternheim — Bürger Schippel. In: Das deutsche Drama Bd. 2. Hrsg. v. B. v. Wiese. Düsseldorf 1964.
Marx, Karl/Engels Friedrich: Werke Bd. 1. Berlin 1956.
Melchinger, Siegfried: Drama zwischen Shaw und Brecht. 4. Aufl. Bremen 1961.
Mennemeier, Franz N.: Carl Sternheims Komödie der Politik. In: DVjs. 44 (1970). S. 704—726.
—, Ein lustiges Lustspiel? (Carl Sternheim). In: Modernes deutsches Drama. Bd. 1. München 1973.
Mittenzwei, Johannes: Carl Sternheims Kritik am Bürgertum im Rahmen einer Darstellung des Pessimismus. Diss. Jena 1952.
Mukarovsky, Jan: Studien zur strukturalistischen Ästhetik und Poetik. München 1974.

Myers, David: Carl Sternheim: Satirist or the Creator of Modern Heroes? In: Monatshefte. Vol. 65. 1. 1973. S. 39—47.
Nagel, Ivan: Der Dramatiker Carl Sternheim. In: Neue Rundschau 75 (1964). S. 477—482.
Natew, Athanas: Das Dramatische und das Drama. Velber bei Hannover 1971.
Nietzsche, Friedrich: Werke. Bd. 6. Musarionausgabe 1920—29.
Paulsen, Wolfgang: Carl Sternheim. Das Ende des Immoralismus. In: Akzente 3 (1956). S. 273—288.
Paulson, Ronald: The Fictions of Satire. Baltimore 1967.
Petersen, Carol: Carl Sternheim. In: Expressionismus. Gestalten einer literarischen Bewegung. Hrsg. v. H. Friedemann und O. Mann. Heidelberg 1956.
Popper, Karl R.: Logik der Forschung. 5. Aufl. Tübingen 1973.
Prang, Helmut: Geschichte des Lustspiels. Von der Antike bis zur Gegenwart. Stuttgart 1968.
Pütz, Peter: Die Zeit im Drama. Zur Technik dramatischer Spannung. Göttingen 1970.
Rasch, Wolfdietrich: Zur deutschen Literatur seit der Jahrhundertwende. Gesammelte Aufsätze. Stuttgart 1967.
Reden des Kaisers. Hrsg. v. E. Johann. dtv-dokumente. München 1966.
Rilla, Paul: Literatur, Kritik und Polemik. Berlin 1953.
Rotermund, Erwin: Die Parodie in der modernen deutschen Lyrik. München 1963.
Sagarra, Eda: Tradition und Revolution. Deutsche Literatur und Gesellschaft 1830 bis 1890. München 1972.
Schiller, Friedrich v.: Sämtliche Werke. Bd. 12. (Säkularausgabe). Hrsg. v. E. v. d. Hellen. Stuttgart und Berlin 1905.
Schneider, Karl L.: Des Bürgers gute Stube, Anmerkungen zur Raumsymbolik in Sternheims „Bürger Schippel“ und Kaisers „Von morgens bis mitternachts“. In: Wissenschaft als Dialog. Hrsg. v. R. v. Heydebrand und K. G. Just. Stuttgart 1969.
Schrey, Gisela: Carl Sternheim — Kritiker und Opfer seiner Zeit. In: FH 26 (1971). S. 775—779.
Schwerte, Hans: Deutsche Literatur im wilhelminischen Zeitalter. In: Zeitgeist im Wandel. Hrsg. v. H. J. Schoeps. Stuttgart 1967.
—, Carl Sternheim. In: Deutsche Dichter der Moderne. Hrsg. v. B. v. Wiese. Berlin 1969.
Sebald, Winfried G.: Carl Sternheim. Kritiker und Opfer der wilhelminischen Ära. Stuttgart 1969.
Seidel, Bruno: Die Wirtschaftsgesinnung des wilhelminischen Zeitalters. In: Zeitgeist im Wandel. Hrsg. v. H. J. Schoeps. Stuttgart 1967.
Seitz, Dieter: Zur gegenwärtigen Diskussion über das Problem der literarischen Bildung. In: Reform des Literaturunterrichts. Hrsg. v. H. Brackert und W. Raitz. Frankfurt/M. 1974.
Soergel, Albert: Dichtung und Dichter der Zeit. Neue Folge. Im Banne des Expressionismus. 4. Aufl. Leipzig 1927.
Stadler, Ernst: Gedichte und Prosa. Frankfurt/M. 1964.

Steffen, Hans: Vorwort. In: Das deutsche Lustspiel I. Göttingen 1968.
–, Hofmannsthals Gesellschaftskomödie „Der Schwierige“. In: Das Deutsche Lustspiel II. Göttingen 1969.
Stegmüller, Wolfgang: Hauptströmungen der Gegenwartsphilosophie. Stuttgart 1969.
Sternheim, Carl: Gesamtwerk. 9 Bde. Hrsg. v. W. Emrich. Berlin und Neuwied 1963ff.
–, Vorkriegseuropa im Gleichnis meines Lebens. Amsterdam 1936.
Sternheim, Carlhans: Dichterkinder. In: Der Querschnitt 9 (1929).
Stirner, Max: Der Einzige und sein Eigentum. Stuttgart 1972.
Strich, Fritz: Deutsche Klassik und Romantik. 4. Aufl. Bern 1949.
Szondi, Peter: Theorie des modernen Dramas. Frankfurt/M. 1967.
Trakl, Georg: Nachlaß und Biographie. Hrsg. v. W. Schneditz. Salzburg 1949.
Tucholsky, Kurt: Gesammelte Werke Bd. 1. Reinbek bei Hamburg 1960.
Vormus, Helga: Sternheim in neuer Sicht? In: Etudes Germaniques. 22 (1967). S. 81–86.
Walser, Martin: Wie und wovon handelt Literatur. Aufsätze und Reden. Frankfurt/M. 1973.
Weber, Alfred: Kulturgeschichte als Kultursoziologie. München 1963.
Weinrich, Harald: Literatur für Leser. Essays und Aufsätze zur Literaturwissenschaft. Stuttgart 1971.
Wendler, Wolfgang: Carl Sternheim. Weltvorstellung und Kunstprinzipien. Frankfurt/M. 1966.
–, Carl Sternheim: In: Literaturlexikon 20. Jahrhundert. Bd. 3. Reinbek bei Hamburg 1971.
Wiese, Benno v.: Deutsche Dramatiker des 20. Jahrhunderts. In: Formkräfte der deutschen Dichtung. Hrsg. v. H.. Steffen. Göttingen 1963.
Wolff, Kurt: Carl Sternheim. In: Autoren, Bücher, Abenteuer. Berlin 1965.
Ziegler, Klaus: Das deutsche Drama der Neuzeit. In: Dt. Phil. i. Aufr. Hrsg. v. W. Stammler. Berlin/Bielefeld/München 13.–15. Lieferung.
Zweig, Arnold: Carl Sternheim. In: Dichter des humanistischen Aufbruchs. Bd 1. München 1960.

PERSONENREGISTER

WERKREGISTER

(Verzeichnet werden nur die Dramentitel Sternheims)